KU-546-702

Les Éditions du Boréal
4447, rue Saint-Denis
Montréal (Québec) H2J 2L2
www.editionsboreal.qc.ca

IL Y A QUELQU'UN ?

DU MÊME AUTEUR

Montréal brûle-t-elle?, poésie, Écrits des Forges, 1987 ; *¿Arde Montréal?*, Écrits des Forges/Ediciones del Ermitaño, 1998.

Lettres insolites, poésie, Écrits des Forges, 1990.

Crimes et Chatouillements, récits, XYZ éditeur, 1992 ; Boréal, coll. « Boréal compact », 2000.

Le diable est aux vaches, poésie, Écrits des Forges, 1992.

Le Goudron et les Plumes, roman, XYZ éditeur, 1993 ; Boréal, coll. « Boréal compact », 2001.

Kyrie eleison, poésie, Les Herbes rouges, 1994.

Unless, roman, Boréal, 1995 ; Verticales, 1998 ; J'ai lu, 2000 ; Boréal, coll. « Boréal compact », 2004.

Plaisirs et Paysages kitsch, contes et poèmes, Boréal, 1997.

Le Blanc des yeux, poésie, Boréal, 1999.

Un jardin dans la nuit, contes et poèmes, Boréal, 2001.

Hélène Monette

IL Y A QUELQU'UN?

poèmes

Boréal

Les Éditions du Boréal remercient le Conseil des Arts du Canada
ainsi que le ministère du Patrimoine canadien et la SODEC
pour leur soutien financier.

Les Éditions du Boréal bénéficient également du Programme de crédit d'impôt
pour l'édition de livres du gouvernement du Québec.

L'auteure remercie le Conseil des arts et des lettres du Québec
et le Conseil des Arts du Canada pour la possibilité qui lui est donnée
d'écrire et de vivre, Micheline Nadeau et Michel Garant pour faveurs d'impression,
Lili, Geneviève Letarte et Linda Bonin pour leur simple ferveur.

Dépôt légal : 1er trimestre 2004
Bibliothèque nationale du Québec

Diffusion au Canada : Dimedia
Diffusion et distribution en Europe : Les Éditions du Seuil

Données de catalogage avant publication (Canada)

Monette, Hélène

Il y a quelqu'un ?

Poèmes.

ISBN 2-7646-0286-3

I. Titre.

PS8576.O45414 2004 C841'.54 C2003-941955-X
PS9576.O45414 2004

à Paul Chamberland
avec ma reconnaissance
pour ton amitié

(sans aucun doute
pour Yves Boisvert;
deux poèmes — minimum —
sont pour toi)

et pour mémoire
pour Marie, pour Maria
et à toutes les autres en vie

je vais, parmi des avalanches de fantômes
je suis mon hors-de-moi et mon envers
nous sommes cernés par les hululements proches
des déraisons, des maléfices et des homicides

je vais, quelques-uns sont toujours réels
lucides comme la grande aile brûlante de l'horizon
faisant sonner leur amour tocsin dans le malheur
une souffrance concrète, une interrogation totale

poème, mon regard, j'ai tenté que tu existes
luttant contre mon irréalité dans ce monde
nous voici ballottés dans un destin en dérive
nous agrippant à nos signes méconnaissables

GASTON MIRON, « Les années de déréliction »
(L'Homme rapaillé)

Sommaire

Je noircis des petits cahiers
et les petits cahiers me noircissent
je suis incriminée
sans même avoir tout dit

envoyez la censure, la police
me casser la gueule
elle est déjà cassée
j'ai la mâchoire décrochée
des cicatrices

je ne vois pas pourquoi
on arrêterait quelqu'un
d'aussi poli que moi

le désespoir
cette vie dans les cendres
dont, de force, je raffole
c'est ma dernière énergie

on m'accuse de quoi
et devant qui ?

je n'ai encore rien dit
de la peine qui m'envahit
sans fin

* * *

Je les ai tous embrassés
tous, jusqu'à la fin du monde
c'est pourquoi je suis là
la seule raison
c'est le contact chaud
la poussière des joues
le sourire, parfois
et la lumière
quand nos yeux sont l'éclaircie
c'est pourquoi je suis présente
quand l'autre est là, en vie

car s'il est mort, massacré, tué, disparu
qu'est-ce que je suis ?
qu'est-ce que je fais
jusqu'à la fin ?
qu'est-ce que j'ai dit ?

nous sommes tous complices
et qui n'est pas, aujourd'hui, très troublé et triste ?
quoi faire, petits frères ?
que faire, tendres sœurs ?

le bonheur, c'est de vous connaître tous
en autant qu'on ne s'entretue pas

Transes

à Patrice et pour Yves

Ce n'est pas un lac d'Irlande
ni la mer de Norvège
le lac Ontario couvre de blanc
le gris du ciel

les tours de guet
pleurent une neige meurtrière
les fusils périmés
hantent les abords
de la ville prisonnière

la classe économique a construit
des bicoques près de la gare
où les chicken's lovers
côtoient les rois de plastique

il est possible de fuir
de ce côté peut-être
en arpentant la neige sale
le long des rails
se perdre fantôme
dans le oh ! oh ! oh ! Canada

Quelle est cette ville où l'on a
déchiré des chiffons blancs
tramés de fleurs bleues
à coups de semelles paramilitaires?

Le genre d'endroit où l'on se perd
où l'on repense en quatrième vitesse
aux pauvres clauses de son testament
à toute une vie d'erreurs grossières

C'est le genre de ville
où les filles au cou cassé
restent coincées dans le souvenir
de toutes les pendues pivelées
cheveux en bataille
sans bague aux doigts

Il faut absolument débarquer ici
prendre la peine
de se taire
au risque de finir étranglée

Les passagers pour Montréal
sont figés dans la stupeur
ils ne peuvent rien non plus
pour eux-mêmes
concentrés qu'ils sont
à dévisager les flocons rustres
la glace dans la vitre sale
les frêles forêts derrière
les coutumes meurtrières

Clockville   Rushville
un drapeau rouge sur neige
à tous les coins de rue
des pauvres de maisons de chambres
font les cent pas
dans la grisaille orthodoxe
le manteau ouvert
pour laisser entrer le Canada
par tous les pores de leur misère

Un drapeau rouge sur beige
une maison quelque part
pour Sheila
c'est ici que nos trains se séparent

le navigateur de tickets
ne me comprend pas
il entend me convaincre
que je me trompe de voix

ici je déraille
voyageuse dévoyée

les passagers pour Montréal
se sont cachés
dans le jour fantôme
imposture habile

il peut toujours neiger
par-dessus les pistes
les jeux de la terre
plaine militaire

Le vent ferme les portes
de la gare
avec violence

une cabane à moineaux
little cabane bleu ciel
prend le frais
contre le mât d'argent
le poteau froid où flotte
en sens contraire
dans le sens unique du vent
le chiffon glacé rouge et blanc

je suis la première indigène au monde
à utiliser le fond rouillé
du cendrier d'hiver
contre la gare égarée

la neige neige sur mes bottines
noire avant même de tomber

le nom de la ville est gonflé
en format géant
sur un silo d'argent

je ne sais de quelle maladie
sont affligés
les oiseaux absents
de la localité

le silence est morne
comme s'il fallait déguerpir
pour ne pas mourir là

mais au sud des inconnues
femmes désertées, mères prisonnières
peu de vie me chaut

je suis porteuse de
je ne sais quelle déviance
la conscience déraille
dans l'attente angoissée
d'une identité
ni fatale ni défunte
une histoire patente
à laquelle je pourrais me raccrocher

la violence ferme les portes de la gare
il ne faut pas trop exister

Le calendrier des événements
de cette ville
propose une marche au flambeau
pour visiter les fantômes
le jour de mon anniversaire

morte de rire sans même le sentir
j'attends le convoi

la gare me renvoie
faire mes gammes
psychiques

Il peut toujours neiger
le lac Ontario ne bougera pas
sous les glaces murmurantes
contre les tours de guet

là-bas, la glace pleure
en filons
des meurtrières

la peur est forte ici
à la frontière

la gare peut enfiler des meurtres
si j'en suis
je vivrai tout, je le saurai

j'ai de la rouille sur les doigts
le navigateur de tickets
m'ordonne de me lever

j'ai du mal à me remettre
sur pied

je me présente à l'hiver
les cheminots me font des clins d'œil
dans une autre langue

la mienne me dit
rentre chez toi
fantôme de première

Les émotifs anonymes
voyagent en première classe
dans le wagon number one
la queue
du Trans-Ontarien

les hommes d'argent
les espions, les méchants
aussi voyagent

pas la peine de les voir
sans peine

leur déroute ne mène nulle part
            j'y suis déjà

Ne faites que m'honorer
(please honor)
comme si je faisais
réellement partie
du paysage
blanc et gris
que le train traverse
que l'histoire renverse
en hurlant de la sirène

ces forêts invisibles
camouflées par la blancheur
et les fumées du Sud
pesants voiles maculés
contre le ciel pathétique
où s'écrit de travers
la Nordique Amérique
tordue

Comment se fait-il que le Bas soit en Haut
qu'il n'existe pas d'oiseaux à la frontière
qu'il n'existe plus d'autres mots
que *torpeur*
quand sont exilés les passagers
vers une plus noire blancheur ?

les stewards m'ont à l'œil
que je ne contamine personne
avec ma langue

le cafard burlesque
de mes poèmes
colore l'air absent

pas la peine de parler
de l'atmosphère

Les voyageurs
reviennent de la Bourse
les gitans reviennent
d'une prison fermée
ne leur reste plus qu'à aller
dans une ville ouverte
aussi louche que ses trottoirs
remplis des gaz de l'enfer

dans le wagon de première
les gitans se taisent toujours
une fois passée la frontière

il est facile
d'être quelqu'un
qu'on descend

On m'offre un petit luxe alimentaire
gracieusement, on occupe ma misère
que je ne défonce plus la fenêtre
de mes yeux verts
que je ne fixe plus avec angoisse
les débarcadères évanouis

on dirait que le train
ne touche plus terre

la neige sur la vitre
tombe en poussière
l'iris tourne au gris

tous les kilomètres ont fui
et les heures noires se densifient
hors du temps grisâtre

le wagon flotte
no man's land

éberluée, les yeux baissés
je reviens à moi, ici
suis-je sauvée
si j'entends le bruit du train qui roule?

j'ai demandé
à débarquer
à Saint-Henri

personne n'a entendu
ma grand-mère
oui
Mélina
de Longue-Pointe à Saint-Henri
Mélina, Mélina
mère de tante Hélène
et de Rita

Mélina, Mélina
quel pays traverser
toi et moi ?

morte de rire sans même le sentir
je reste là
un train dans la tête

Louisianna Mélina
Mélina Rita
qui est ici ? qui est là ?

chaque fille est à nous quatre
à nous deux
Lili, avant nous, qui était là ?

mais il n'y a semble-t-il
que trois voies
et parmi elles, l'esprit
va savoir pourquoi
le reste nous exile
Dans Le Brouillard, à la frontière
Choseville, nulle part

de près, il n'y a qu'une voie
elle plonge, étroite et droite
dans la sauvage nature
comme une lame dans la blancheur
un rail dans la forêt
une trace unique, toute sale

Au plus fort
la loi

chaque ville
nous combat

je rentre chez qui
au juste
si je ne suis pas moi ?

Montréal est figée dans la stupeur
je reste là, je ne peux plus rien
pour moi
concentrée
à dévisager les flocons rustres
la glace dans la vitre sale
les frêles forêts au loin
la vie meurtrière

si jamais
je le jure
tout est flou
j'en ferai un film
on ne verra rien

tout va bien
croche

quelques flocons
pour mémoire

je tombe en pièces
dans la nuit noire

et j'arrive en ville

je fais un rêve
l'obscur m'emporte
dans un compartiment
le train me retient
ce n'est rien
je ne suis pas morte, tu es proche
je reviens
les ombres, je suis
et ma vie
et la tienne, presque douce
je les suis toutes
Louisianna, Mélina, Rita
Lili, je suis là

l'amour est un lieu vaste de vent
un endroit désert qui flotte dans le regard
assez grand pour recevoir
la vie

une maison hantée de voix et de vagues
une cabane fabriquée avec les planches d'un radeau
qui se souvient du naufrage
(oui, qui s'en souvient?)

Le bateau part
plein d'ancêtres dans ses voiles
je me souviens

la maison voyage
fait son petit bonhomme de chemin
les murs laissent passer l'air
et les girouettes

les trains dévient, tout peut arriver
voici la gare des trains
nous voici, hélas, quelque part
désaffectées

Montréal me broie un sourire
il n'y a personne à m'attendre
pas même moi

suis-je jamais arrivée ?

la ville brouille les voix
couvre le claquement de mes pas
dans la nuit, le bruit de la vie court
amnésique

dans la transparence du soir
les portes du monde
gigantesques
neutres et froides

aucun taxi

Dans le métro
une sorcière rousse
étudie chaque visage
pour bien se rappeler sa vie

derrière son profil
deux enfants roumains
emmitouflés jusqu'aux narines
se tiennent, petites mitaines
au poteau d'argent

dans l'ombre géante du souterrain
se profile un oiseau imposant
un aigle d'or rutilant

méchant

Dans la rue, avant la chaumière
un jeune gitan
dit qu'il lui importe peu
de crever sur-le-champ
ou au matin

la bise du fleuve
me redresse la colonne
de force

je téléphone à tout le monde
qui me souhaite
à la chaumière, en arrivant

je ne dis à personne
que je sors de prison

fondante pour m'enfuir
m'écoulant de la meurtrière
d'une tour de guet
désaffectée

dévoyée pour revenir
capturée avant la frontière
Fuckville

revenue en première classe
aux frais de la culpabilité
d'un vilain canard
valeureux

éberluée
je tombais en pièces
dans le jour neigeux
à chaque ville
est-ce que je réussis
à articuler
brisée, docile

Les vagues claquent pour rien
au port, emmurées
sous la glace, le sol bouge
se retourne sous mes pieds
le train, vide, s'éteint
le bruit court
je ralentis

tous ces êtres plongés
dans le froid et la nuit
il y a toujours quelqu'un
et elles toutes en moi

les voix murmurent leurs rancunes
chantent des berceuses
même en silence, ne se taisent pas

Mais où est le capitaine ?
le contrôleur du train ?
Cette neige sale dans nos mains
d'où elle vient ?
Où est la corne de brume ?
Quel est le chemin ?

Il y a quelqu'un ?

Kingston – Montréal, janvier 2001 – octobre 2003

Chemins

Loulou

Tu parlais d'une nébuleuse, d'une petite étoile, une petite sœur. Tu avais des mots crépusculaires, des goûts astronomiques pour le mystère et ceux qui le supportent. Tu savais ardemment aimer comme personne d'autre ne semblait être en mesure de l'apprendre par lui-même, alors que ça te venait tout seul, ça ne pouvait être que toi qui aimais comme ça. Chez toi, avec toi, le silence ne courait aucun danger, le silence avait une couleur, une densité particulière. C'était une matière active tout comme l'air ou la lumière. C'était une manière d'aimer.

Tu collectionnais des roches et fouillais dans les livres pour trouver les images les plus saisissantes. Les toiles les plus troublantes, tu en apprenais le nom — le mot *titre* n'était pas prononcé, terme trop rustre et rationnel qui convient mal à la beauté lorsqu'elle est aimée. Tu connaissais les peintres, ce que chacun avait légué de clair au regard. Tu en parlais à ta nébuleuse, ta petite sœur muette toujours à ta recherche pour imaginer, respirer longuement, toucher l'avenir sans se briser. Tu lui disais qu'il n'y avait pas que de la terreur dans tout ce qu'on tait. Qu'on peut se taire pendant des millions de secondes sans pour autant mourir. Tu lui disais : *écoute, quand tu ne sais plus rien, quand tu ne sais plus vaincre ni franchir, il y a toujours la musique qui réconcilie l'esprit et le monde.* Tu lui disais que la musique pouvait dépasser le silence et tout emporter, qu'il ne faudrait jamais oublier cela : *la musique peut t'emporter.*

Tu avais des yeux comme personne d'autre n'en aura jamais. Des yeux qui entendent, des yeux qui écoutent, des yeux qui parlent aussi. Des yeux qui expliquaient le silence. Un regard de fauve dégriffé qui ne ferait jamais de mal aux petites bêtes, jamais de bêtises, qui ne brillerait jamais de ces gloires forgées dans le feu de l'arrogance. Un regard de fauve tout de même, tellement on aurait pu mourir doucement dedans, tellement on y était vivant, chair exacte, prenante tiédeur. Au-delà de toutes les perceptions qui illuminaient ce regard, il était possible d'être en proie à la beauté en s'abandonnant à une seule et unique atmosphère, celle du cœur, là, profonde, cette lumière.

Ta nébuleuse te suivait, anéantie par ses mauvais rêves, déroutée par l'absence de vie à couteaux tirés, continuant à frémir à coups de dérive et de plaisirs fourbus. Elle te posait sans cesse de nouvelles questions, elle vivait le cauchemar des distances comme on reste prisonnier du roc au fond de la mine effondrée. Et tu la regardais, avec tes yeux, avec tes paroles, incapable de ne pas l'aimer. Tu lui citais parfois une phrase, une merveille issue d'un livre à la mode. Ta voix donnait le ton. C'était de la musique.

Cette voix transportait des avenirs de taille, des chemins se dessinaient, des intuitions, des déterminations ; elle avait pourtant un timbre doux, une inflexion rythmée comme par la pulsion de survie qui viendrait de l'histoire, des grandes étendues sauvages. Sa couleur chaude envahissait les phrases et faisait taire les craintes qui, parfois, font trembler les mots. Tu parlais comme on chante, les partitions s'envolaient, les connaissances devenaient des prétextes, il fallait tout dire, avec le souffle qui part du ventre, traverse de bas en haut la cage, arrive au-dessus du cœur pour que l'oiseau dans la gorge puisse enfin sortir du corps, s'envoler vers où lui seul le désire.

Ta nébuleuse avait pris quelque chose dans tes yeux, elle avait assimilé un peu de l'étendue de ton regard, elle avait appris. Elle parlait d'un oiseau en fuite, elle voyait le silence gagner le large, elle sentait les frissons perler sur sa peau. Tu lui ouvrais cette porte sur l'ailleurs, les sensations sorties de soi, comme des oiseaux du paradis quitteraient l'ombre, comme on aborderait enfin le monde.

La vue des mots était superbe. La musique ne se briserait jamais.

* * *

Que faire de la douleur, unique et tabou
en recomposition continuelle
hilarité générale
conjugaison impossible
honneur démentiel
et autres débouchés sans partage ?

Que ferons-nous de nos petits malheurs
lorsque nous serons grandes ?

Que faire du grand bonheur
annoncé en réclame ?
plutôt fermer le poste
que d'avoir à sublimer
l'absurde
à haute définition

l'image avalera l'image
mais c'est encore l'image qui écrasera tout le reste
ce sera un peu l'individuel effrayant
dans le grand total social
et nous en redemanderons
paix exubérante
bonheur général
joie sans égale
ou nous laisserons passer la vague
nous échouerons
du sel dans la bouche, les yeux pleins de sable
accrochées au flou indéfini
de chacun
parmi tous

que faire de ce nouveau malheur ?

que garder de ces noces
la rose ou le venin ?

que partager avec les gamins
la soif de vivre
la docilité de la faim ?

que ferons-nous de la joie
quand elle viendra tout allumer ?
la laisserons-nous brûler
si elle revient ?

que faire de nos grands malheurs ?

dans quel sordide conte de fées
ne sommes-nous pas encore allées ?

qu'avons-nous donné au diable ?
qu'allons-nous préserver ?

qu'est-ce qu'il y a de si terrible
à offrir ?
qu'est-ce qui ne nous sera jamais donné ?

que ferons-nous
une fois apaisées ?

* * *

Un chablis est un groupe d'arbres déracinés
brisés par le vent
mais
nous embrassons le ciel de tout notre corps
de tous nos corps tordus

de nos corps les plus forts
c'est la grâce que nous nous souhaitons
accrochées à la roche sous le vol des faucons
archibuses, buselles et léopards volants

nous nous étions perdues de vue depuis longtemps
maintenant, il y a des clous dans les sentiers
et nous suivons les fées-sorcières
dans la forêt tchèque des montagnes
à la brunante, entre cheval et dalmatien
du rose plein les fougères
        c'est l'heure de se raconter des histoires
        comme si on n'allait plus jamais rentrer
        dans le chablis désolé de la mémoire
        qui nous tient

sur le chemin des baies sauvages
l'écho surgit de toute part
et nous nous égarons
pour nous jouer du temps
les yeux remplis des couleurs
qui nous ont manqué

nous embrassons le ciel de tout notre corps
    de nos corps les plus forts
        c'est la grâce que nous nous souhaitons

Lili

Les jolies dentelles autour de tes poignets
les sept bougies sur ton gâteau doré
le chantonnement de ta sensibilité
les regards moqueurs de ta tendre amitié

oh ma douce, mon enfant rêvée
touche ma joue, décoiffe mes pensées

viens courir tous les soirs
dans le vert de l'herbe
viens rire à mes côtés
dans la folie de l'espoir

tes canards de papier autour de la corbeille
tes grands sentiments dans la cour de l'école
tes mains peinturlurées
tes ongles arc-en-ciel
ta collection de pierres
et ton précieux sérieux

oh ma douce, mon amie fidèle
casse ma rage, joue ta vérité

viens chanter le matin
dans le couloir sombre
danse à mes côtés
dans le jeu des miroirs

* * *

Pour Lili

Ma petite boule de dynamite
feu roulant d'arrière-grandes-choses
aux lueurs chatoyantes
étincelle jaillissante
tout à l'heure flamme éblouissante
toi qui chantes
petite agnelle du chaos
toi qui danses
mona lili de mon cœur à l'ouvrage
toi qui marches parfois
sur la piste qui passe à travers moi
ma douce au regard de tigre
fidèle rebelle amadouée
autour de toi, poussent les tilleuls
résistent les saules et les noyers
lève les yeux, paruline flamboyante
regarde, on entend
les mésanges et les fauvettes
tout ce qui gazouille

sur la terre qui berce
je t'admire tant chaton rayonnant
d'ainsi radoucir ta fureur
de temps en temps
qui passe trop vite

* * *

Qui veut mettre la table?

T'apprendras, ma petite fille, avec ce que tu as vu et senti
à partir de ce que tu as aimé, connu et reconnu
touché et retouché
dans ton regard, déjà, d'immenses espaces verts
s'étirent à la lumière des joies

je t'ai toujours dit que je t'avais mise au monde
pour te rencontrer, pour te connaître
mais peut-être suis-je une autre de ces égoïstes
qui veulent créer, procréer des beautés
pour ne pas devenir folle, ne pas virer fou

les passions obligatoires, les plus belles affaires au monde
comme de l'eau vive, peut-on penser
ça coule musique, collines, océan, chansons et
beaucoup d'animaux, des chats et des dauphins
pour toi
le bonheur partagé, O.K.
mais la liberté, c'est quoi?
c'est de prendre soin de toi, de te garder en vie
d'être l'être qui est toi, cheminante et limpide

de n'emprisonner personne et de discerner les pièges
les pièges dans l'ombre ou les brillants
t'en tenir loin comme un oiseau à dix sens
vigilante comme un arbre résistant
un tilleul debout au-dessus de ses racines
les branches comme des balançoires pleines d'oiseaux
les doigts en fleurs berçant les abeilles

T'apprendras, ma petite fille, oui, tu sais ça
l'amour fait partie de ta vie et il vient de toi
                    nous sommes sauvées !
                    (enfin, jusqu'ici, tout va presque)
et l'amour t'apprendra, ma petite fille
ce que tu veux savoir des autres
et ce que tu ne veux pas
ce qui vibre et luit à cœur de jour au fond de l'existence
dans l'âme de cette bouleversante espèce
ce monde entier comme un cactus*

le reste, les fleurs de février, l'éternité
on l'invente quand ça nous prend
si ça nous chante

Une amie m'a déjà dit que je t'ai appris à penser
                      qu'est-ce que tu en penses, toi ?

---

* Jacques Dutronc.

je t'aurai au moins montré qu'on peut s'en sortir
sur cette terre, de toute façon, mon petit poisson
il y a une fin à tout, et ce n'est pas plus grave
mais ce sont les débuts, les commencements
la compassion et la patience entre les crises de nerfs
les amorces qui sont belles
tout ce qui se poursuit, ordinaire, calmement
tenace et rendu là, extraordinaire
être *groundée,* comme tu dis, ça me donne l'idée
d'une dignité dans l'amour
qu'est-ce que t'en penses, Ti-Lou?
                la dignité, ma belle, pour l'amour
que cette idée soit surannée
et ces amours, plus souvent qu'autrement, étouffantes
arrive une saison où les tilleuls se balancent
fleurs au vent

que cet amour soit aux trois quarts dingue
la dignité de l'amour donne des ailes
c'est aussi ça, un peu
la liberté, mon oiseau

tout le reste de choses, névroses éduquées
que j'ai voulu maladroitement placer sur ta route
comme des obstacles et des fossés
des manières de princesse endimanchée
qui n'échappe jamais sa petite fourchette
        le grand ensemble des façons, codes et manières
        ces choses-là n'ont pas eu de prise
                tu voles plus haut que moi
et c'est vrai que des fois, j'ai le vertige

j'ai peur du monde envers toi
envers ce qui heurte, blesse et nous brise
en mille morceaux, parfois
je ne sais pas, mon inquiétude
c'est un piètre exemple, tu vois

j'aime mieux penser à l'île Verte
aux poissons-clowns, à tes chants
aux moments entiers avec toi entièrement
à ce que je pourrais faire pour souper
as-tu faim, toi?
à quelle heure on mange, mon ange
ma douce au regard de tigre
mon petit loup des bois?

XX ta mère qui carbure à l'énergie du désespoir
aux alentours de la beauté de la vie

Rue des Concessions

Les putes couchent toujours nulle part. Et avec personne. Les femmes couchent avec des hommes. Et les filles, elles, dorment mal, seules ou en compagnie d'une autre solitude.

* * *

Il y a beaucoup de filles en poésie, de femmes-poèmes dans la rue, des petites madames qui ont fleuri dans la misère, des filles mères d'images et des mères isolées dans une ligne, dans une larme, comme c'est vert, comme c'est rouge, mères de fil en aiguille, sœurs brodées ou décousues, filles de fer à cheval sur la paille fine des nuages que tout le monde regarde en inventant un ciel loin de l'extase, comme si l'extase allait se produire, obligatoire, chose due, dans l'éclaircie des néons au prochain coin de rue, aussi terre-à-terre que l'asphalte et ses crottes de chien, aussi banale qu'un chagrin.

* * *

Le juste milieu

Les filles sensibles
on leur met la camisole de force
abstraitement, maintenant
on aseptise leurs larmes
on neutralise leurs cris
on pulvérise leurs paroles
on supprime leurs points de vue
logiquement, dorénavant
sans curettes ni bistouris
sans courant ni anesthésie
juste par des attitudes civilisées
des manières éprouvées

ce faisant
on fait leur connaissance diabolique
en étant rassuré
par le massacre

ainsi donc se créent le juste milieu
la méthode
la dialectique
            les précautions du rationalisme
            qu'il nous faut sauvegarder
            à la limite

avec la dissimulation nécessaire
            bien qu'on puisse leur plaire
                        sans exagérer

on peut aller jusque-là
entre les énormités et la vérité
on est tous pareils
ni plus ni moins que tous
semblables dans le temps inégal
vivants si avisés
dans l'univers fermé
on peut relativiser ce qui se présente
tout en étalant les cruautés du monde
dans un sourire impressionnant
dans un texte où on donne des coups
par de multiples références
à l'espace existentiel dominant
pour rendre lucide
la fille obstinée à être sensible

il faut procéder

quand une fille sensible tourne autour d'un concept
tout juste bon à assurer sa survie
sortez les verrous
qualifiez-le de narcotique
de boniment psychologique
fermez-vous à double tour
sans pitié, par sympathie
faites un discours systématique
que rien ne bronche dans la pièce
hormis ce plaisir qui vous rend plus vivant
dans votre bon droit
contondant jusqu'au jovialisme

Les filles sensibles
depuis le mésusage des électrochocs
on peut les secouer avec la dérision en vogue
ou le cynisme élémentaire
puisque tenter de leur faire entendre raison
s'avère vain
puisque leurs communes et mortelles connaissances
sont proportionnelles à leur entendement
puisque depuis peu, aussi
ne se pratique plus la lobotomie
rien ne vaut une vacherie
pour abattre leur hystérie persistante
    une démonstration intelligente
    pour dégourdir leur esprit
        une caresse pesante
        pour maîtriser l'ennemie
contrôler la distance

elles retomberont sur terre
par la force du mépris qu'elles ont acquis
pour elles-mêmes
elles deviendront à peu près mortes
beaucoup mieux tuées
en d'autres mots, intégrées
douées d'une ouïe consistante
si vous y mettez un peu du vôtre
en pratique
comme en théorie

si une fille sensible réagit
et dit :
    vaut mieux le désert

faites-lui réaliser
quel enfer elle s'est créé
tout en lui répétant
que la vie est extraordinaire

vous vous sentirez personnellement fier
et mieux assuré
de vous en tenir au juste milieu
entre la déférence et la cruauté

* * *

En voilà un qui s'avance au bord et qui dit *JE*
en voilà un qui filme les enseignes au néon

seules les falaises se creusent les méninges
car la tête se porte bas
dans le roc

seules les vagues creusent la serrure

mais le vertige des cancres et des pitres
on pourrait y passer

il nous faut encore ce trou dans le cœur
cette serrure dans le rocher

effriter le roc
ronger sa roche

il nous faut encore un baladeur
pour entendre les mouettes s'indigner

indigne-toi, mouette
et regarde l'avalanche au matin
galets dans les gros cailloux polis
galettes dans la bouche
des gentils explicateurs
du néant qui dort

dort encore le roc
que ne cesse la vague

L'un cadre sa Fiat
avec le panneau de l'Hôtel Existence

la mère porte la jupe droite
la fille idem
voilà où nous en sommes, les sirènes

dans le bonheur des amours industrielles
rectilignes

œillères en stock
au cas où ça nous prendrait davantage de passé
pour être à plat

les demi-gamins aux fesses
qui nous talonnent avec un art de vivre
au-dessus de leurs moyens

faut laisser faire la mer
laisser faire le ciel

voilà où nous en sommes, les déesses
plus vrai qu'il faut
c'est la tristesse
plus bas que ça
c'est le mal de ventre innocent
et quarante années de carême

rien que du roc
pour la vague, tête de pioche

En voilà un qui photographie le ravin
pour fixer le vide
l'agrandir, bien mieux
l'encadrer, l'exposer

avec son visage juxtaposé au ciel
comme s'il s'agissait des mêmes merveilles
comme si on en revenait irrémédiablement à Dieu
dans le Viking

et là se froissent les mouettes
pour passer la serrure
sortir du roc
indemnes

* * *

Là où nous allons, quelques-uns font la guerre, ils sourient de tous leurs crocs en nous toisant d'un regard entre la raillerie et le plomb, le petit plomb qui une fois tiré peut faire tourner de l'œil et glacer le cœur.

Certains désirent tuer ce qui n'a pas d'affaire là dans la rangée parfaite des ordres, comme si nous faisions autre chose que vivre et qu'il faille nous le reprocher.

La norme coupe les têtes et achète ses droits. Avec un restant de civisme à couper le souffle. Et avec, déjà, la mort qui fait mourir, ça fait beaucoup. La guerre, la mort. Pour la troisième chose, ils ont dit que c'était l'amour. Alors la guerre, la mort, l'amour. L'amour à mort. Les grands canons, l'artillerie lourde, les meilleures intentions, la vie comme un film, le genre qui passe souvent à la télévision. Coté six, bourré d'explosifs, un maximum de son.

Là où nous allons, quand ce n'est pas l'abstraction, c'est l'abstention, c'est encore le cynisme et la dérision, et savez-vous? ça revient au même. C'est différents codes pour une seule distance, c'est toujours la guerre avec la même ignorance, dans l'arrachage de cheveux ou l'indifférence. La blessure ne dit mot, empêtrée dans son sang. La conscience délire, et la foutaise reprend : *qui ne dit mot consent.* Et tout arrive. Le pire, certainement.

Là où nous allons, il y en a toujours un pour penser à voix haute et affirmer que notre langage est une supercherie, qu'il ne vaut rien par lui-même, des mots tout ça, des phrases. Le lexique est administré à l'étroit, dans un réduit interdit, rempli de formules obtuses, absconses et abstruses en chiffres géants. On n'y retrouve pas ses enfants. Les mots de notre langage n'entrent pas ici ; ils restent seuls au niveau de la vie. Pour l'amour du nombre, le monde est petit, mesquin, bon marché, de mauvaise qualité.

C'est un univers sans défaillance. Les comportements s'appliquent comme une poudre mate sur un visage enlève tous les reflets, les trous noirs et le paysage.

Partout où nous allons, plusieurs sont déjà allées. Le film contient tout. Le monde, l'histoire, le passé. Toutes les séquences ratées.

Sur l'écran, il y a quelque chose qui cloche. On a du mal à voir ; comment savoir si on est là ? Figurantes, au moins, des feuilles dans un arbre. On dirait tous des acteurs principaux, chacun sa dégaine et ses signes distinctifs, petit orgueil et grand mérite. Comme dans une comédie de mœurs, acharnés. Happiness.

Les répliques tombent par terre comme des mots inutiles, comme des morts si rapides qu'on ne peut même pas se les payer. Ça ne change rien. On doit payer quand bien même on ne saisit pas le film, la mort dans l'âme, dans chaque réplique. Puisque, semble-t-il, on joue dedans. Notre silence est inscrit dans le script. De trois petits points en passages à vide. De lieux communs en lignes de braille. De yeux qui piquent en bouche ouvertes. Ou autrement, visages en sang.

Il faut toujours parler à tout le monde parce que tout le monde nous parle. Mais ne rien dire réellement. Des mines, des poses ; sous-phrases et charabia. Tandis que Big Brother nous regarde en plan américain. Tandis qu'on maquille et supporte les autres. Tandis qu'on nous laisse faire les feuilles dans les arbres, figurant vaguement quelques frémissements, qu'on serve enfin à quelque chose, petits rôles froufroutant sous le vent artificiel, chuchotant rien d'évident du plateau arrière, sombres ombres, éloignées du devant.

De l'endroit qui nous jetait dans la tourmente, l'abjection et le don calculé, du plomb dans l'aile et de la fumée dans les yeux, nous sommes revenues, pesantes de toutes ces personnes en nous, tisons et cendres. Rendues ici, nulle part, nous parlons. Et nous parlons à qui que ce soit, bébés, cailloux, étoiles, gens enflammés, ardents éteints. Nous écoutons nos voix comme si elles étaient la même, parfois. Chuchotantes dans les arbres, éclairage de nuit. C'est notre chuchoterie, nos mots, qui fait ce bruit doux de clapotis de naufrage contre les planches d'un radeau. C'est sûrement un film d'aventures. Comment savoir? Nous sommes placées si loin, dans le fond, accrochées dans un décor funeste, perchées sous de gros nuages noirs dans l'espace mort d'un monde gris.

Là où nous tournons, c'est la terre qui meurt. Gros budget. Mais mauvais son. Que nous, frissons de feuilles, pour imiter le vent pleurant dans le feuillage.

* * *

S'acharne le vent sur un feu de paille
        est-ce possible?
bien que les fondations soient inondées
que le couteau perce le téléphone
que le sang coule des canards en plein vol
que les sorcières partent en fumée
que les mains blanches frappent les yeux rouges
que l'ivresse dévore la grâce
que le coq chante
que l'étalon valse
que les célébrations piétinent de bonheur

au son d'arrangements inusables
que les poules aient des cœurs de pur-sang
mille dentelles à la minute
que la vie rêvée soit une partition indélébile
que l'orchestre soit armé de mélodies bétonnées
oui, mais est-ce vrai ?

on croirait qu'il n'y a que du décor, que des effets sonores
des garde-fous stylisés, des silences somptueux
des rumeurs réfléchies, des détours confirmés

on croirait que ces amalgames, ces liens tiennent
dans un alliage scintillant
chaînes éblouissantes, nœuds brillants

que le plus strict ordre du monde
          à peu près l'amour
          les chaînes aux pieds

* * *

Coincés comme ça, avec l'hameçon
arrêtés là, dans le chas de l'aiguille
on peut dire que ce n'est pas une position commode
ça n'avance pas
le prochain mot, même crié, n'expliquera rien
surtout pas les liens
tous les liens de la situation
du fait inaliénable que nous en sommes là, dans le chas
avec l'hameçon
pour mille raisons
mais comme sans voix

Étant donné la situation
on peut penser que tout s'est arrêté
ça ne passe pas
on peut même penser que plus rien n'est pensé
l'hameçon dans la gueule
les corps contorsionnés
dans le chas de l'aiguille
où on a pourtant vu des légions et des troupeaux
passer, déjà, par le trou
dans le grand bruit d'une osmose avec tous
avec tout ce qui vit
pour passer

Ce n'est déjà qu'un grand bonheur
d'avoir un corps bouleversé
étonnant de chaleur
mais coincés comme ça
quelle pêche pour le pêcheur ?
aucune ligne ne tire qui que ce soit
de là, de cet embrouillamini écorcheur
le fameux droit fil
il n'est pas là

l'aiguille pourrait coudre, faufiler, repriser
n'est-ce pas ?
est-ce qu'on bouge ?
l'hameçon, on pourrait pas le décrocher
de notre gueule
juste pour voir
si on pourrait pas un peu respirer
ainsi enlacés
dans le chas de l'aiguille ?

cette histoire d'hameçon est une calamité
dans l'histoire de l'aiguille
car le chas   le trou
est très ému de ce qui nous arrive
il s'arrondit même beaucoup pour nous accueillir
ainsi enlacés, ainsi massacrés
saignant de la gueule
avec les meilleures intentions

Peut-être qu'il s'agirait seulement
de l'ouvrir, la gueule
ensemble, ou même très très seules
pour passer
sortir du chas de l'aiguille
faire tomber l'hameçon
reprendre le fil de l'histoire
glisser et repasser
dans le trou
confectionner une émotion
un geste doux
à passer
glisser le fil, tendre la filiation

avec tendresse, toute notre affection

* * *

Rue des Concessions

À l'église Saint-Antoine
ou un autre saint aussi touristique que désiré ardemment
il y a des colonnes quatre fois pattes d'éléphants
des Vierges débrouillardes
qui lisent de vrais livres de pierre et de marbre
sans sourciller, bien installées dans une couche illuminée
calmes du désir de savoir
ainsi couchées, ainsi livrées à elles-mêmes
malgré les regards
elles incarnent pour une fois
une nuance de l'histoire
bien que l'Ave Maria côtoie le Miserere
sur ces pages grises sous leurs doigts glacés

Rue des Concessions
je dis adieu à mon ami conformiste
qui m'a exactement mené
à l'embouchure des Vierges couchées avec des livres

Rue des Concessions
mon ami conformiste me quitte, et avec lui
disparaissent ces déboires en société
où il m'a si souvent laissée tomber
à moitié hystérique, mais complètement blessée
nous avons mangé comme des enfants
en haut d'un grand escalier
sans que qui ce soit ne soit venu se mêler, cette fois

de ce que nous devions dire
de ce que nous devions manger
de ce que nous devions vivre
comme vertige sur cette planète
et mon ami a placé le potager de sa mère
au centre de la table
c'était joli
à l'instant qui n'en était plus un
nous avons bu

il m'a ensuite laissée devant la montée du tram
et en traversant de ce côté, je ne me suis pas fait écraser
bien que tout le reste était écrit
je suis entrée vivante dans l'église des femmes

Après le bal
je suis sortie de l'église les mains grises
pleines de pouces
et Manuel m'a aidée à allumer un lampion
à la fontaine éteinte
d'une allumette à moitié consumée
saint Antoine s'est allumé
dehors, sur cet autel creux comme une baignoire
dans le couchant du tram 28, Manuel m'a serré la main
il a refusé ce fruit que je lui ai tendu
loin du Théâtre de l'Éden*
ce fruit dans mon sac, qui m'est revenu à la mémoire

---

* Le Théâtre de l'Éden, sur l'avenue de la Liberté, est devenu un mégastore Virgin (Lisbonne).

ce fruit des Concessions
une poire
Manuel ne l'a pas pris
c'est ma main blanche qu'il a saisie
nous nous sommes souri très fort
à l'infini, au revoir

Rue des Concessions
il y a aussi cette mère et cet enfant nantis
qui se querellent de part et d'autre d'une clôture démaillée
qui s'engueulent à propos d'un abus de consommation
et la mère derrière la clôture rouge
elle ne cède pas, mais elle en vient à douter
souhaiter avoir raison
tout ce qu'elle désire ardemment
c'est d'être moins harcelée
par ces trop-pleins de vides ambiants
c'est de parvenir à ne plus être fatiguée
c'est d'être une femme et d'aimer
et qu'un autre homme que saint Antoine
    un homme qui ne soit pas de pierre
en vienne un jour à l'écouter
    à boire de ses yeux
        ses plus étranges prières
qu'un peu de lumière échangée
sur cette terre
qu'un peu de lumière

* * *

Tu as raison, Elena, je suis ma propre dictature
la première personne du pluriel est internationale
souffrant de blessures nationales
au recomptage des voix
la torture est réelle, d'autres sont plus réels que moi
dans ton jardin, il y a des monstres
le passé fait des trous dans le ciel
et parfois, tu détestes les étoiles
tandis que je ne les regarde même pas
je suis trop occupée à régimenter
les dysfonctions de ma carapace
à pleurer sur cette farce américaine
ces arbres croulant dans la rivière
sous l'effet des crues barbares
légalisées

mon régime totalitaire, c'est moi sans pouvoir
l'histoire est dans tes mains, dans tes cheveux
dans les racines qui s'allongent sous tes pas
la mienne est dans le noir
des forêts inextricables où hurlent les fous
les maniaques à la scie, à quatre roues, les arracheurs de sol
violeurs banals, innocents destructeurs
il fait noir à en crever et, si tu le sais
    y a-t-il un NOUS
    un nous général et ordinaire
    où la rage ferait feu
    sans toi ni moi?

nous sommes de l'humanité, n'est-ce pas?

Tu as raison, Elena
nous ne faisons pas que marcher dans un stationnement
c'est comme tu dis, nous sommes des voitures
tu as un large rétroviseur
tes freins font un bruit grinçant
j'ai un pneu à plat
et un coffre ouvert
je te demande un peu ce qu'on fait là

tu avances et je reste paralysée
tu tournes et je vais tout droit
je klaxonne pour rien et
tu débarques de toi
tu te conduis comme une personne surprenante
je stationne, te regarde, te questionne
et tu rentres chez toi
par la grâce de l'ironie
ironie rime, Elena, avec ton rire
et vice versa, la vie

à peine embarrassées de nous-mêmes
nous sommes des blessures aux couleurs
resplendissantes
dans le grand stationnement

sans doute moins que ça, tu as raison

ton rire met en pièces
les civilités comme les certitudes
les mensonges, les inquiétudes
ce n'est pas le frêle rire universel
canons, gravats, cloches et grelots
le tien est comme une pluie de pierres dans l'eau

Bucaresti
sous ton pas sautillant
Bucaresti dans la danse
t'attend
Elena Stefoi

bonne envolée
bon vol au-dessus des montagnes escarpées

tu as raison
nous sommes absurdes
et je pique du nez

à plat, Montréal m'attend
quasi roumaine d'accent
Helena dorénavant

* * *

Je suis une grosse femme pas évidente
remplie des misères que je n'ai pas vécues
charité boursouflée
commence par les autres
les autres qui souffrent
ont faim
ont faim de moi
ont soif d'espace
et je les prends
ingurgite l'horreur
dont par ici personne ne veut
fines bouches et capitaux extrêmes

hargneux bohèmes
par ici la maigreur
c'est aussi les mains
c'est aussi le cœur
le bon vieux poème
on croirait qu'il se tient à carreau
à l'intérieur, dans le caillot d'une méchante veine
qui empoisonne la tête et le cœur

par ici les malheurs
sont assassins
ce sont aussi les peurs
toutes les peurs
les autres frappent, ils ont faim
pères et frères ont soif
quoi faire, ma sœur ?
les bébés frissonnent, les enfants meurent

des journaux chiffonnés jonchent les ruelles
un cœur bat dans la photo, à la une, agonise en couleur
c'est partout le même cœur
dans le monde entier, tambourinant
la vie sur terre, sous la peau, entre les os
à la guerre, sous le manteau
et jusque dans le sang clair des arbres
    pulsations affolées
    au rythme de l'horreur
le monde me saute dessus
je me replie dans la peur
le cœur bondit dans sa cage
car je n'oublie rien
l'horreur est sans proportion

que je reste là à grossir
surabondante à l'infini
plus vaste que moi
moins méchante que ma vie

* * *

Schéhérazade et Marilyn

Imagine
cheik ou shérif, arme blanche ou atomique
croissant de lune ou far west
le diable a les munitions
la division
on est coupés en deux
les gars
on est complètement schizophrènes
involontaires et cruels
atteints de graves maladies
irrémissibles

Schéhérazade raconte l'histoire
et Marilyn joue dans le film
Papa a raison et Mère Courage
on tourne un western musclé en temps réel
une mine saute, le ciel explose, au diable les vivants
armes économiques, désarroi climatique
that's the way
sunshine of my life

si on s'en relève, Ève
on ramassera les blessés
ou on chantera, hérétiques
on flambera, Mona Lisa
vives dans l'air plein de feu
le cœur comme un volcan

les moutons font partie du cauchemar
cesse de les compter
ils brûlent déjà
Schéhérazade n'a plus la moindre idée
l'histoire s'emballe
on ne sait plus qui joue dans le film
on a tronqué les bobines, le scénario est mutilé
on offre un flou publicitaire
à tous les abonnés
Satan se rince les dents à la limonade alcoolisée
Satan fait saigner sa belle-sœur sur la place du marché
Dieu est clean comme un électrochoc
le reste est propre comme un plancher de scène
quand tout le monde est parti

Gaïa s'endort dans les bras peu profonds
de Lucifer

les concierges contemplent le monde
font une prière
et vont se coucher

quand pètent les statues
bas les masques
pieds et poings liés

Schéhérazade s'est endormie
et Marilyn, un trou dans la gorge
aussi, c.i.a., f.b.i.

Ève, dit le serpent
tes enfants ont mis le feu à la maison…
« c'est ta faute, maman ! »
burning down the house
papa est en voyage d'affaires

King Kong n'en fera pas d'autres
et Raël baise avec des clones
les filles
on ne l'a pas
dans la vie

mère, mère
pourquoi nous sommes-nous abandonnées
jusqu'à la guerre
scène vide et plancher rouge ?

aux obsèques de Schéhérazade
on affichera des posters de Marilyn
devant Dieu et les hommes
quelle Justice Immuable
imagine
jusque dans le port d'Amsterdam
n'importe quoi, les bonnes femmes
Mini-Fée qui milite pour la paix
Cendrillon sur les anxiolytiques
et la guerre, man
l'amour, mon garçon
la vie, mon ami

Impasse des Confettis

Quel séisme t'a remué, lequel, comment
toi aussi ?
de quelle boue es-tu fait ?
de quelle catastrophe es-tu rescapé ?
quel cyclone t'a traversé
et quelle sécheresse as-tu endurée ?
par quel temps glacial
ne nous sommes-nous pas rencontrés
les racines courtes dans l'asphalte
avec en bouche quelques jurons
beaucoup de farces indélicates
des sentiments tout croches
dans trop d'émotions
plutôt nous garrocher n'importe comment
nous en remettre à la stupidité mondiale
ou vivre
plutôt que de supporter tout ça
vivre
mais quoi ?

* * *

Je sais bien qu'on laisse crever les autres
dans la solitude jusqu'à la lie
qu'il y a des livres qui nous sauvent la vie
si, bien sûr, mais oui
des cieux brûlés
où l'on peut déambuler nuage
coup de pinceau, couleur du monde
malgré le feu de l'enfer pavé de psychoses

Je sais bien qu'un chagrin consolé
ne dilue pas la peine, que les contrariétés
sont autant de peccadilles qui n'entravent pas
le roulement, la vague, la trajectoire éblouissante
de la joie, car toujours, dans l'ombre
elle tient bon, elle est là
silence impossible

Je sais bien que tu désires m'aimer
que tu ne sais pas comment
même chose pour moi
à un, laisse-moi tranquille
à deux, ne m'oublie pas

Je sais bien que s'attendrir au lieu de combattre
c'est se complaire dans les manies romanesques
mœurs narcissiques, cœurs braillards
et laisser la boue et le sang se mêler et durcir
sur le visage des autres empêchés, trahis
je sais bien que l'ennui, c'est leur nombre
c'est le poids du monde
c'est le monde jamais tenu autrement que dans un cri
étouffé, l'imposture d'une solitude qui veut tout

qui ne veut rien, qui prend tout
qui ne fait le plus souvent que tendre la main
écuelle à sous, griffe du désir, moule à pain
marionnette aux adieux
coup de poing

Tout est en jeu à cette minute
nous sommes entre nos mains

Bien sûr que tu rêves
je rêve aussi, fais-moi rire
puisqu'on va mourir, on pourrait
si on peut
je ne sais pas, s'aimer

* * *

Dix mille millions de morceaux de solitude
se déposent sur la Terre de tous
sur la peau de chacun, grumeaux de chagrin
grains de tendresse, flocons sans but

viens boire à ma bouche
que je me trouve un nouveau mensonge
plus exquis, plus juste, que je puisse t'offrir
des soupirs où t'évader
que ce soit ainsi que je puisse me perdre
nous retrouver

* * *

Si je ne peux dormir
c'est à cause de la vie, des silences qu'elle construit
immenses, infinis
comme des siècles et des siècles de distance
les explosions nous taraudent
le vacarme nous envahit
et le silence   fait du bruit

si je ne peux dormir
c'est à cause de ce silence qui détruit le sommeil
le désir d'un silence plein de bruit
pour absorber la tourmente

j'entends le vent hurler et le monde frémir
et je pourrais trouver le sommeil avec le bruit
de ta respiration
contre mon cœur tambour
        tam-tam   de tes mots

j'en suis certaine, une fugue avec toi
dans la nuit, dans notre histoire, je pourrais dormir
        dans ton bonheur
                si tu voulais

* * *

Te revoir, que ce ne soit pas pour la peine
mais pour un feu de joie
        le sais-tu ?
car où toucher cette joie ailleurs
        comprends-tu ?

je ne suis pas exactement celle
dont la vie dépend de l'amour, mais je le suis aussi
complètement en vie, pour l'amour
　　　　ça dépend, tu me suis?

je voudrais être libre
de temps en temps
pour apprendre la douceur à tes côtés
　　　　libre en soi, tu sais?

* * *

Je survole Terre-Neuve et toute l'entrée bordélique
du nouveau monde abîmé
et ça marche mal
ça vole à grand-peine
car tes ailes, les tiennes, tes ailes à toi
elles me manquent tellement

Tous les mouchoirs d'Air France ne suffiront pas
il pleut, ce sont mes larmes, je suis là-haut
ni Dieu, ni déesse, ni même nuage
qu'un chiffon de chair habillé de lettres
éperdu à pleurer sur un siège de machine
à tuer le ciel

L'averse est éternelle
comme si j'avais besoin de ça
un mensonge ou un autre contre le ciel bleu
comme si j'avais besoin de toi

comme si nous pouvions rester émerveillés
malgré le camouflage

sommes-nous ce que nous sommes?
sommes-nous deux?

* * *

Le ciel ne ment pas
ça doit bien faire cent ans
que je n'avais pas aimé un homme, les garçons
je ne sais quel lion m'a piquée
sans m'arracher à moi-même

je prends les devants
aussi, je marche derrière moi
pour ne pas tomber et
pour ne pas tomber sur toi
de tout mon poids
du poids de ma vie

je guide mes pas
en plein élan
avec ta voix dans l'oreille

* * *

J'aimerais bien que tu me prennes
dans tes bras sur-le-champ
sur le champ de bataille

bien que cette grotesque pantomime
nous parodie morts-vivants
tu as réellement bonne mine
exactement
mais dans mes tourments, entre les tombeaux
là où poussent les herbes folles, les feux follets
suis-je là, seulement, cadavre, herbe floue
animal blessé ou malade
ou quelqu'un de vaillant sur le point d'aller
jusqu'au bout de l'autre champ
là où tu te tiens sous le soleil éclatant
comme un dieu splendide
enraciné dans le temps

j'aimerais que tu me prennes
dans tes bras mais, c'est vrai
dans quel espace
dans tout ce cosmos, où ?
dans quelle tranchée nous enlacer ?
dans quel lit de princesse faire notre couche
comme ceux qui s'aiment ?

j'aurais aimé que tu me prennes
un seul instant
pour un espace-temps
entièrement
peu importe que tu m'aimes ou
pas seulement

* * *

Quand je m'assois près de toi, mon ours
pendant que tu nages et flottes dans ton bain
le morceau de siècle entre mes poings
un instant, me glisse des doigts
le cœur dévale, le mien
une petite pente douce
aux étoiles accrochées dans les gouttes
car il pleut sur tout ça
et l'arc-en-ciel se tient à mes côtés
là, dans ton bain
ta tête et ton visage, étonnantes lumières
me rassurent sur la tempête
mais le cœur me manque
depuis si longtemps, regarde
il pleut dans mes mains

la fréquentation d'un ours agile
émeut profondément
jusqu'au tressaillement
il faut me croire

mais s'agissait-il d'un homme à peine vieilli
d'une rencontre atmosphérique
ou d'un ours dans une baignoire ?

les créatures magnifiques me terrifient
et les êtres
les êtres aussi
mon impossible ami

* * *

La distance entre nous
ribambelles de cercueils, montagnes de malheurs
masses opaques de passé
trappe ouverte, arythmie terroriste du cœur
déluge de guimauve collante
théorèmes pleurnichards
guerres affamées, flaques de vomi
chaînes, dragons, chats noirs
voilà les bagages, voilà les déchets
illusions gavées d'émotions
voilà les pensées, c'était toute ma vie
confusion
mais la distance entre nous
illusion

illusion que je creuse, de plus en plus creuse
de moins en moins vaine
de moins en moins illusion

qu'à cela ne tienne
il me reste à vivre
avec un minimum d'aplomb
          mais je persiste à vouloir
          que mes forces pathétiques
          abolissent la distance
          entre moi et tout, et entre nous
                    entre nous

* * *

Nous sommes les prochains humanistes
catastrophiques
envisagés mathématiquement
ou fraternellement
yeux petits, cœur gros
tu es de plus en plus mon prochain
même si seule, si seule à la fin
je me rapproche de mes doutes
nous convergeons vers nous tous, rien
à bout d'évolution
cernée par l'amour, je te donne la main
mon prochain
oublie-toi et tiens-la vite

et moi, t'ai-je apporté des fleurs
t'ai-je donné du temps
une consolation limpide
un réconfort aussi chaud
que le vin flou et sans contours?

seuls et si seuls à la fin
nous sommes ce qui nous reste de prochains, amour

* * *

Peut-être avons-nous, tous
des âmes mortes, étincelles grises
lendemains d'aube, chair construite
par toutes les ouvertures
démences douces, nous, tous
dans le vent, en train de vivre
revenus de l'amour

* * *

Je t'offre la paix, en tout cas, te la souhaite
même si moi je ne sais pas comment je vais
y parvenir, avec qui et comment ?
et si oui, combien de temps ?

je me fais un thé à la bergamote
et t'écris un poème sans lever le petit doigt
la plume est couchée
comme un chien méchant qui dort
en ronflant
je prends l'air plus souvent
comme un chien
le nez au vent
je n'écris plus de poème comme avant
depuis que le ciel est tombé sur la terre
je n'invente plus rien
tout se fond dans le fond
et le thé est déjà froid, parce qu'en passant
le temps fuit

* * *

Les maigres trembles ont grandi cet été
étrangement, le parc est plus vaste
leur danse frileuse fait chanter les feuilles

chaque avion qui incise le ciel
de cet octobre trop chaud et bleu
fait un bruit de radiateur qui coule

Le parc s'allonge entre trois clochers
maintenant les carillons se démènent
l'après-midi inspire un espoir
tient dans une respiration
les oreilles sont idiotes, elles ne pensent
qu'au chant nerveux des peupliers
et au souffle des chiens qui balisent la colline

fillette écoute *Cendrillon* sur cassette
de ses pouces et de ses doigts
parcourt le vent entre les pages
de ses yeux verts, elle cherche
l'ordre dans l'immensité
se contente de peu, sourit
me sourit totalement

je ne suis pas morte
j'ai cuisiné les repas
cherché Milosz, Eliot, Paz
dans les rayons truqués et faméliques
ne te retrouvant pas, je n'ai rien trouvé

un peu de vide m'étreint, je l'exagère

fillette et moi allons au parc
nous regarder vivre par cette chaleur
octobre est fou

après *Cendrillon, viens-tu?*
nous revenons à la maison
fillette bricole et crayonne
puis maman réchauffe les portions
le cœur loin dans sa propre cage

personne n'apparaîtra au bout du fil
pour m'étrangler avec des mots radieux
fermes comme la mort

je ne suis pas folle, j'ai écrit un poème dehors
il était vaste, il contenait un goéland
le goéland en savait plus que moi
il avait des ailes moins étroites que les miennes
un cri moins déchirant que le balbutiement rauque
de mon personnage

j'ai écrit un poème là, entre les cèdres
et je ne m'en souviens plus

j'ai été maladroite, c'est certain
mais je comprends très bien
les attitudes que je ne connais pas
la force, je la connais
même le slogan *ici et maintenant*
je le saisis dans un sens comme dans l'autre
barbares, nous le sommes, écoute
mais écoute
les trois clochers répandent leur musique de métal
en s'harmonisant au grondement des 727 et 737
violant les limites du supportable
ça ne fait rien aux peupliers qui tremblent
ni aux six familles d'oiseaux
qui se disputent le seul frêne à l'ombre
ça ne fait rien aux peupliers qui chantent
ça ne fait rien
je comprends

j'ai manqué la paix des forêts*
pour l'insomnie du désert
dans l'attente, l'absence de détente
que pour toute cette distance

autant aller me frapper contre le rocher
pour entendre mon bruit de vague
vaguelette sous la pression des moteurs
inaudible clapotis
dans la furie

la déroute, comme beaucoup des miens
m'a naufragée
crabes, goélands et scorpions m'ont achevée
dans le sable, la mort me revient

la vie retourne à ses quiétudes imaginaires
        les autres vivent

sur la plage du désert, je reste plantée
gorge sèche, lèvres gercées

là dessoûlent et s'ensablent
le respect, l'intégrité, l'odieuse absence de mensonge

mais je comprends, j'entends, j'écoute
et je ne vais pas tout le temps pleurer

---

* Yves Boisvert.

même un ange pourrait comprendre que je comprends
le vacarme, la folie, je les sens
autour de toi et moi, sur nous et partout
mais je ne suis pas, je ne suis rien
pas plus que trois ou quatre détails
je me tiens ici et maintenant, imaginée ou libre

il est diablement possible
qu'il ne reste plus rien

je ne sais plus si c'est de la peau
ou une prière sans mots
qui recouvre mes os

mais mes mains, je ne sais pas, ma bouche
un peu de tout ce que je suis
maladroite et entière
t'a à peine touché

aussi, en quête de cette mystique
sorties des lieux de recherche
c'est fillette qui a fait une grosse prise

ça me décourage à peine
    Cendrillon faite captive dans un sac de plastique
    avant de déteindre sur l'imagination
    de ma terrible amie

ironie que nos vies brûlantes
dans tous les sens du trafic

* * *

Le Maître essuya ses pieds sur le seuil
et n'entra jamais
aucune trace, aucune ombre, aucun parfum
il n'y eut rien de gravé sur le seuil

l'impérissable était dans l'âme
et personne ne le voyait

le Maître non plus n'avait pas vision de cette lumière
ce qu'il était
et qui il n'était pas

* * *

Montréal dans la poussière
Zagreb dans la cuisine
Boston dans une boîte
Beckett sur le frigo
Bordeaux sur la commode
l'écriture et la main sous l'interrupteur
Madère près du miroir
Porto Santo derrière le bouquet
Sainte Rita sur l'étagère
L'Iran dans la collection
José appuyé sur un tableau
Paris sur la table
Sutton dans les fleurs
Montréal sous une pile de cahiers
Une leçon de musique près de la fenêtre

Geneviève sur le système de son
Greta Garbo sur le mur
des caravelles glissées sous la planche

mais jamais reçu
ta carte postale indienne

* * *

Nulle part il n'y a de personnage
il n'y a pas matière à offrande

comment dessiner son visage avec mon cœur
comment décrire ses mains avec mes yeux
il ne se montre pas si je ne l'invente pas
ce personnage inscrit dans mon histoire
qui n'avance pas

la foule est indistincte depuis qu'elle est partout
dans la rue, le frigo
dans le salon et le métro
j'attends en ligne avec tous

il n'y a personne à mon bras
mais j'ai une foule entre les tempes
et des cadavres dans le dos
il n'y a plus personne et je suis là
à m'imaginer un chemin
sous la solitude
entre les lueurs et les vingt-cinq sous
entre les rêves idiots

l'humanité est en congé
à force de marcher comme ça
est-ce tout le siècle qui est férié ?

il est très tard, dommage
la vie est bien pâle
et la nuit est là

* * *

Deux cadavres baisent dans le brouillard
ce n'est pas la fin du monde
c'est aussi hasardeux que banal
les sociologues en ont vu d'autres
les psys ont d'autres patients à fouetter
la solitude des cadavres qui ne s'aiment pas
fait de la fumée sans feu, du brouillard condensé
à partir de souffles pesants et d'haleines lourdes
à partir de rien, comme si rien ne s'était passé
comme si rien ne se passait jamais
tout bouge sans s'animer
les cadavres ont de solides carapaces de vivants
ils consomment l'existence
la tête embuée, le cœur ailleurs
sur le neutre, en position désabusée
en bons habitués, vaguement

* * *

C'était déjà insoutenable
et puis, comme un leitmotiv
tu t'égares, tu t'égares

l'écho du monde
une seule personne aimée
soufflait : *tu fais fausse route*

le vent fit claquer la dernière porte
tout juste avant l'asphyxie
la sensibilité ouvrit grande une fenêtre
    on ne sait comment une chose aussi abstraite
    put poser un tel geste
    mais elle le fit

la nuit écrivit son poème, tranquille
plus léger que l'air du temps
l'air obsédant du temps

* * *

Mon sous-marin a été torpillé
et j'étais dedans
mon amour-propre est sale au fond de l'océan
la guerre était pourtant finie depuis longtemps

du temps où j'étais sur terre
je marchais sur mon orgueil
pour garder l'équilibre
ramper entre les merveilles
les hommes-grenouilles, l'absence de Dieu

et quand j'ai pris la mer dans mon bathyscaphe
véhicule trop long, trop lent
j'ai perdu le sens de l'ouïe, j'ai heurté des poissons
il était brisé mon sextant
déboussolée, j'ai crié : AMOUR
et mon sous-marin a été torpillé
j'étais dedans

le fond de l'océan est sale et je suis prise dedans
je ne vois plus rien maintenant
au secours, je crie : au secours, pauvre amour

l'amour-propre finira déchiqueté
entre deux vagues
tandis que les algues m'étrangleront

ô amour sale ! prisonnier du fond, au fond
quand l'amour ne se tient pas là-bas, sur terre
entre deux forêts qui ne sont plus vierges
dans le désert qui n'en finit plus de s'étaler
grains de cendre, planète brûlée

pleurez, noyés, pleurez
profitez des profondeurs
la terre est sèche
ses moindres débordements sont frelatés
ou finissent en mares de sang

la terre est desséchée par ses chacals
et même cette idée me fait mal
là où je suis, dans l'océan vaseux
le sel m'a crevé les yeux

au fond de l'océan
je meurs, déshydratée
mon sous-marin a été torpillé
je ne sais même plus si j'ai existé
réellement
saleté d'océan, qu'as-tu fait de mon amour de noyée?
qu'as-tu fait de tous ces anges brûlés par la terre
brisés par le vent
les courbés d'outre-Atlantide
trahis noyés?

mon sous-marin a été torpillé
et j'ai le cœur battant
il y aurait encore, au fond de l'océan
des gens ivres des profondeurs

je les entends
hurler

* * *

Jeu de piano

Durant la pièce
les mains du pianiste restent cachées
c'est une pièce douce
ni tempêtueuse ni violente

durant la pièce
la folle reste au logis
enfermée

en morceaux
mais en vie
mais en vain

cela s'effondre comme une histoire s'effondre
la construction est mauvaise comme un mauvais numéro
une mauvaise nouvelle
la mauvaise adresse, le manque d'adresse, la maladresse
comme une mauvaise vie
enfermée dans la vie
comme dans une pièce obscure
un réduit

  la pièce est obscure comme la nuit
  qui vous saute à la gorge
  pour vous étouffer dans un terrible cauchemar
  la pièce est triste comme une valse ratée
  quand les accents du jeu de piano
  deviennent finalement tempête
  futile tempête
  dans un verre d'eau

il faut attendre la fin de la pièce
pour comprendre
connaître la musique
par essence, insaisissable

durant la pièce
les mains du pianiste restent abaissées sur les touches
c'est une pièce penchée, dos tourné
ni tempêtueuse, ni violente
c'est plutôt un lac, l'automne
et une femme, attachée, au fond
à la vie et son désordre

durant la pièce
le pianiste est resté caché
c'était doux
comme une tempête dans le silence
comme une voix brisée

* * *

Mon offrande est une peine immense
ça ne tient pas dans la main
c'est vulgaire et gigantesque.
Tiens.

Mon amour est un désarroi
sans toit ni vue sur la mer
sans rosier devant, sans pierre des champs.

Mon amour est simple d'esprit
tabou, honni
pierre précieuse toute sale.
Tiens.

* * *

Classes

Dans ta classe, dès le berceau, on a droit à un confort juste, assez friqué, bon vivant, grandiose dans ses intérêts, sa tenue de gauche, son épanouissement guidé et ses marques de santé

tout se passe bien jusque-là

je reconnais que je reconnais
moi aussi, j'ai un répondeur pointé sur les indésirables
ce n'est pourtant pas ma meilleure arme
j'ai aussi un mini-char d'assaut engoncé dans le sable
qui file à une vitesse molle entre mes mots
et puis, j'ai un cœur en miettes
que je peux toujours retourner contre moi
pour faire confettis, ménagerie de verre
porte-poussière et fakir amateure
comme ça, on peut rire
les mots font rire comme si dessous, il n'y avait jamais rien
de rien, de rien, on m'a déjà convaincue
du ridicule de la douleur
elle est tissée dans la trame de ma condition
ma classe sociale à moi
ma classe cicatrice
pauvre hystérie et frayeur totale
si apparente dans les apparences
que j'en viens à goûter moi aussi au bonheur
mais en catimini
derrière le décor du film, dans les coulisses
c'est ça, classe coulisses
selon les normes établies par je ne sais quel obscur équipage
    expert en écart, distance et démocratie
    une soft suprématie avec de l'amour-propre
    comme dans la vraie vie
l'obscur équipage qui nous a étiquetés
entre profils mous et sans-abri
comme étant la strate, la division
une autre sous-classe de parasites
la classe coulisses

aussi, quand m'arrive une petite claque sur le cœur
d'où je suis, je regarde la scène
les personnages principaux
froids comme la ville
souriants comme des dieux
intouchables, brillants et beaux

alors, j'abandonne la régie
pour grimper dans les rideaux
car je suis experte en effets spéciaux

regarde l'amour tomber
regarde
pour être minable, avoue tout de même
que c'est réussi
c'est beau

tous ces confettis
éparpillés dans la lumière chaude
autour de ta tête
personnage principal
aux répliques insaisissables
très certainement

peu importe que je n'aie aucun crédit
de l'obscurité où je suis, je le vois
sur ton visage
quelqu'un sourit

  déblindé
  avec un rien de classe

c’est beau
c’est réussi
c’est toi

et tous ces confettis…
peu importe que…

vive la mariée !

De l'amour à perdre

Je feel cheap
j'espère que ça ne t'est jamais arrivé
on s'en sort plutôt moche
entends-moi bien
la dérision tue
mais c'est comme tu veux
qu'est-ce que tu veux?

une bière, un thé ou la paix?
de la place? TOU-TE la vie?

moi, quand je fais un vœu
tout s'éteint
et je retrouve mon chemin dans la noirceur
en louvoyant entre la fantaisie
et les arbres creux et morts qui me regardent
hurler à la lune
mes prières ridicules

le pire
c'est que je n'ai même pas honte de moi
mais pour feeler cheap, ça
je ne donne pas ma place
ma place, je la prends
pour le rêve
je la prends pour l'amour souvent
c'est une petite place
dans la forêt obscure
une place mobile et chambranlante
dans un genre de grosse forêt... grosse forêt... CHEAP!

où on ne retrouve même pas son chemin
entre les arbres abattus
je ne te souhaite pas de t'y perdre aussi
ni d'ailleurs en ville, ni dans la nuit
et pas contre moi ni contre ma vie
mais tout contre
tout   contre   contre qui ?

vivre
c'est prendre le risque
de tomber raide mort, si tu veux
mais qu'est-ce que tu veux ?

la dérision tue, d'accord
mais pas le ridicule, je te jure
le ridicule garde vivant

mon amour sale
mon amour propre comme un sentier battu
mon amour marche à l'aventure
(comme un enfant)
à la guerre comme à la mort

malgré tout cet espace
où je marchais plongée dans la noirceur
j'ai été touchée
tout cet amour coule et dégoutte
la balle est dans mon cœur
mais plein de trous, il tient le coup
mon cœur comme un volcan qui crache le feu
plein de sang

QUEL GÂCHIS !
TOUT CET AMOUR À PERDRE !

j'espère que ça ne t'est jamais arrivé
mais j'espère quasiment que ça t'arrivera
pas comme une balle
ni un tourment
mais comme un sentier dans le bois
entre les arbres
un sentier très large
presque une clairière
si tu veux
un lieu où l'amour s'est perdu

et puis après
un coup rendu là, en pleine lumière

tu m'appelleras

* * *

Si tu refuses l'offre
tu recules d'un pas et d'un autre
recule ! recule !
prends tous les pas que tu veux
l'espace est limité
c'est toi qui me l'as appris

* * *

J'ai eu tout le chagrin nécessaire
et si tu ne me crois pas
détache ta peau et sèche ton âme

explique-moi qui est un homme
comment ça marche une femme
et tourne-moi le dos
que j'entonne le cantique très public
de l'amour en désuétude
de l'amour multiplié par la solitude
qui brille comme de l'or

* * *

Quarante points de suture

Ma sensibilité
elle a été ouverte longtemps
après les heures
et bien avant
regarde
quarante points de suture
et la cicatrice prend forme
avec des allures de rail de chemin de fer
suis-je réellement attachée ?
je ne suis pas encore morte
rien n'est guéri
et le train s'en vient
maudit train d'enfer
il me passera dessus
tchou tchou l'avenir
et ma sensibilité gira
comme un chardon
entre les traverses

en attendant, si tu passes par là
détache-moi
bourreau, victime, sauveur
étranger hilare, vagabond sans-cœur

surtout prends garde à tes blessures
contemple-les
à travers moi
quarante points de suture
pour aller nulle part
il n'y a pas de gare
qu'un train fou dans la nuit

en attendant tchou tchou
traverse-toi les coutures
le train s'en vient
absurde
caresse finale

* * *

Impasse aux alouettes

La nuit suivant la Saint-Valentin
sur le trottoir, la vérité est un meurtre

il y a le goût des baisers
sexe et sacré en même temps

mais le reste
ni zen ni transcendant
impasse aux alouettes

un miracle n'arrive jamais seul
il s'amène le plus souvent accompagné
de calamités

la vitesse du monde bloque tous les trottoirs
les nuits sont vaches
comme des annonces d'insomnie

la prochaine fois
reste à coucher *reste couchée*
vieillesse désemparée

il va te faire un dessin, le miroir
il va si bien t'avaler

* * *

Tu me verses le refus, tu m'égares dans ton salon
je te lave le cœur, je te fais un potage avec mes larmes
je te mitraille les intentions, tu me tues en retour
et tout ça, va, ce n'est pas de l'amour

Tu me prends pour un dessert
tu me jettes comme une vinaigrette passé dû
je te regarde comme un chien, je t'accuse tel un juge
tout doit être facile et cru
gracié, banal, advenu
et rien n'arrive, oh! encore moins que l'amour

Tu me donnes le ton, tu me prêtes la violence
tu tournes en rond, je n'absous rien

je connais ton silence
je conçois la débâcle, la trahison, l'oubli
je fais des rêves bidon, et persiste l'illusion
tu livres tes mets froids
rien d'exotique, rien de chinois
j'ai le cœur plein, une grosse mesure, un baril de poudre
le temps court, trompe le temps et l'amour

Je fais peur à tes ordures
tu embrasses ta mère
je travaille à ne rien dire
tu reçois un chèque amputé
les forêts brûlent et les rivières s'émeuvent
je te reçois, tu me stresses, je te déçois
tes mains sont blanches comme la mie du pain
si tu savais comme je n'ai plus soif
si tu savais comme j'ai faim

Ta comédie peut toujours servir
et ta fermeture compter ses sous
le diable brûle au bûcher
au nom de l'amour

* * *

Je déromantiserai
ce fantasme d'être ensemble
forgerai le soupçon de nous croire
faits d'une dure humanité, d'un amour froid
comme il sied à des êtres non pas séparés
mais amalgamés, chair, rocs, glaciers
comme tous, à l'univers

d'ailleurs, l'univers, ne m'as-tu pas
maintes fois répété
qu'il est
fermé ?

it's closed, tonight, really ?

* * *

Le bourreau faisait relâche et le sommeil me gagnait
si je me souviens bien, je m'étais munie
d'une maladie romantique à son état brûlant
quand le souffle coupé malmène le corps désolé
qui s'agrippe à ses chaînes, croit au châtiment
à l'amour étouffé comme remède au tourment

je t'entends à peine, toi qui m'as refusée
dans le bourdonnement techno, le vacarme des sirènes
dans le monde sous zéro où tu déambules
fraîchement confiant de tes évaluations
sémiotiques, dilettante des vérités
psychiatriques

je perds l'ouïe et tout ce que j'entends
c'est un sifflement aigu, le système de son d'un bar
où je perds aussi la vue et s'avive ma mémoire
la lucidité posthume comme un sauve-qui-peut
la vie

l'allumette incendiée
ne traîne plus dans mes mains

l'allumette toute noire est là
sans que tu puisses la voir
maintenant et à jamais
dans mon regard
au lieu de deux petits points
la ferveur qui s'éteint
rayons consumés
espace mort

* * *

À la prochaine

Le prochain qui me dit que le ciel est bleu, je lui fais voir des étoiles.

Dans ces Caraïbes du Nord, on fête novembre en mai — et les robes légères sont difficiles à trouver près de zéro.

Le prochain qui me dit que l'été est arrivé, je lui dis d'aller lire le journal ; comme ça, au moins, il aura l'air d'avoir pris dans le vide ses petites idées, sa joie automatique, son bonheur exagéré.

Les amis sont difficiles à repêcher dans tout ce gris sans écho.

Les amis sont difficiles.
Les voyous, les poux, les fous sont de trop.
Ils prennent tous un X.
Ils sont tous de trop.

Le ciel brille comme il faut quand on y croit gentiment
le manteau sur le dos
les verres fumés par en dedans

On danse le soleil dans le dos
le gris tout gris jusqu'à la transparence
autour et dedans
la grisaille crie
c'est du silence, ami
c'est une souffrance sans mots

Les amis sont ailleurs
là où tout est noir et blanc
ils chantent faux
la solitude est de trop

Le prochain qui me dit que la solitude est merveilleuse
je lui offre tous mes météores
je lui parle de ces Caraïbes du Nord
où rien ne surprend
que le printemps en retard
que novembre encore
quelle farce, quel froid de canard
ô simple fraternité
long et sale mois de mai

Le prochain qui m'embrasse
je lui demande si le soleil est fourni
si une heure, une nuit
à la porte de sa mansarde, je peux frapper
me ramener avec mes étoiles rabougries
jusqu'à son logis
simplement pour ne pas le quitter, lui

tenter de fuir un peu cette grisaille
cette vie dans les Caraïbes du Nord
ma vie inventée
belle comme un nuage, encore

* * *

Offre-moi un peu de ciel
donne-moi un peu d'amour
et s'il n'en reste plus
des analgésiques extra-forts
des anxiolytiques stupéfiants
feront ma béate affaire

tout s'écrasera à ton fracassant passage
comme dans la publicité
je sourirai

* * *

Il est du genre à me demander si je m'en sors
et moi de lui répondre
mais mon pauvre, je ne suis sortie de nulle part
et je n'entre qu'où on le veut

il est du genre à me faire des remarques sur mes cheveux
à me parler pour se distraire d'être sur terre
à me trouver débile pour s'amuser
et moi de penser : la vie est courte
il y a longtemps que je n'ai pas dormi

avec un type bien
peut-être ne me suis-je jamais fait caresser
les cheveux par un homme qui avait besoin
de mon temps, de mes yeux
de ma confiance éternelle

le ciel est de plus en plus creux
    des reflets célestes nous viennent des anges
    que nous côtoyons

mais par ici, c'est d'une facilité malsaine
tant de termites sous la même brique
tant de héros, tant de vainqueurs par tête de pipe
j'ai mal au cœur depuis un siècle
et l'hiver nous revient

gloire à l'homme au plus creux du ciel
il grêle, il pleut des recettes de bonheur
insipides

il est du genre à me croire folle
parce qu'il n'est pas dans ses projets de l'être
parce qu'il est normal
beaucoup trop normal, peut-être

il est du genre à douter de qui je suis
et à tout faire pour me l'apprendre
quitte à ne rien dire

il est du genre à ne pas s'attacher à qui que ce soit
mais ça n'est vraiment pas sûr, je ne sais laquelle
il attachera

disons qu'il ne tient pas à moi
et que la pluie tombe
et que la grêle peut bien venir aussi
marteler le paysage kitsch
qui m'encercle

l'homme qui a besoin de mon temps
de mes yeux, de ma confiance éternelle
il est du genre à ne pas se montrer
à s'offrir des vacances, des réalités
qui empruntent d'autres routes que celle
où je marche à bout de souffle

j'ai mal à la tête
et l'hiver me revient

* * *

Apprentie de l'amour, petite main
ignorante, cœur sale
les draps m'étouffent, que de souvenirs imbéciles
diablement présents parce que toi
percé à jour

comment ne pas reculer devant le précipice?
fuir l'autre béant
comme un besoin immense
— d'autre chose, pas moi

comment souffrir si ça ne vient pas?
comment ne pas combattre
si l'autre est contre moi?

petite main, pauvre moi
comment ne pas regarder dans tes yeux
chercher si quelqu'un vient
— au lieu d'embrasser partout ton corps?

que puis-je faire sans mourir de remords?
les draps m'étouffent et je dors mal
la vie est si courte

comment faire l'amour si je ne le connais pas?

toi qui dors si dur et sans rêves
tu le sais?

* * *

Chou de personne

Il se fait tard, il est si tard maintenant
que tu ne m'en diras pas tant
l'oubli est un nénuphar en attendant
que je sorte de l'étang
ni grenouille ni fleur mais complètement
dévêtue de mon ombre
afin de regarder
l'amour dans ses yeux pauvres
prétendant
le siècle et ta présence
dans un évangile ahurissant
que je ne veux ni lire ni incarner
ni profaner devant ta propre bouche

tes petits yeux de jaloux guerrier savant
faisant de moi la chose, de toi le tenant
de je ne sais quoi de très cher, sûr et méthodique
de vide pourtant
comme si toute philosophie
dans le court-circuit du moment
pouvait être ensevelie
orgueil uniforme, distraite boussole

à te suivre à tout prix
à défaire la noce
je n'aurais plus cette gueule angélique
ridicule pour personne

* * *

Dis-moi que rien de tout cela n'est vrai
un ange passera tel un bouddha de plâtre
des conserves vides clinquant aux chevilles
ça méritera une accolade
un temps de flottement
que nous soyons heureux, un peu

montre-moi le creux de ton masque
sa forme intérieure, ses teintes et ses couleurs
je te ferai essayer celui que j'ai, le mien
qui me tombe des mains chaque fois que je parle
je marche parfois dessus sans voir
que je me cabosse le visage
à moins que ce ne soit pas un visage
tu as raison, prête-moi donc le tien

mieux conformé au fait de porter quelque chose
devant qui que ce soit

nous compterons sur ton masque, tu auras l'avantage
je ramasserai la mienne, de face
la remodèlerai au goût des sensations
plis, courbes et monticules
de ce que je connais du tien

et puis, comment c'est
tu me le diras, enfin, la joie
quand on a gagné sur tous les fronts
jusque dans le blanc des yeux
qu'est-ce qu'on veut encore ?
            mais qu'est-ce que tu veux
            maintenant que je porte ton visage ?

dans l'abnégation, de mauvais augure, ma tête de plâtre
rebondit sur les murs
la foudre éclate dans la pièce obscure
ressort par la porte, parcourt les champs
furieuse, ma tête, écartèle le vent
déclenche un ouragan

une bête de cirque passe en grondant
bouscule de gros nuages pesants
tout s'effrite

ça doit être un mauvais masque de guerre
qu'on m'a refilé
un genre de guerrier à tête d'animal
tout juste bon pour la tempête en plein air
tout ce cirque

ce masque, on me l'a échangé
contre ce chaudron cabossé, percé pour respirer
que j'avais sur le crâne et qui ne cessait
de tomber

et, là, si c'est un masque de guerre
comme ton humanité m'éclaire
de ses feux rouges dans le noir
je vais changer de tête, n'aie crainte
repasse-moi encore ton visage, pour voir

c'est comme ça que tu veux
que nous soyons soyeux?

à contre-jour, invariables
bêtes grises
plâtre du ciel

* * *

L'évidence glace

Je ne sais plus si on s'aime ou si on se hait, si tu savais comme je ne sais plus

L'importance est dans le monde, dans le regard dans le monde, dans la conscience du sentiment du temps ou enfin, ce genre de chose, n'est-ce pas, j'ai compris ou rien du tout

mais tout devient si évident, les martyres de la séduction tombent comme des mouches dans le vinaigre, les énamourés du vide s'absorbent finalement à s'exalter dans d'autres néants, le cœur fonctionne, le cerveau dépérit, finie la comédie, le ciel est à peine sale, craqué par endroits, c'est vrai, il fait trop chaud, c'est vrai, il n'y a aucune raison de vivre sinon celle de se consoler sans daigner le montrer

L'existence seule est à démonter dans sa densité incorruptible, alors pourquoi, c'est vrai, se soucierait-on de détails saugrenus, des peccadilles de l'imaginaire?

Reste que l'on perd tout le reste — qui n'est rien — à se fuir, atomes révisés jusqu'à la dureté, clonés d'artifices nouveaux, après toutes les psychanalyses, après toutes les philosophies, sur cette planète qui cuit en continuant de tourner cependant, aimer et haïr ne seront plus définis, il n'y a plus rien, la fête, oui, et le silence encore

Je ne sais plus si on s'aime ou si on se hait, voilà, je peux m'occuper d'autre chose, traverser mon ombre, me promener dans le monde, observer ce qui est vrai ou rien du tout

* * *

C'est la fin du monde

Ils raillent le monde comme ils égratignent leur vie
implacables comme des planches de tôle qui font du bruit
sur le toit crevé, le dôme carré du monde
c'est une multitude, ils sont légion, les condamnés au silence
un silence structuré comme une convention sociale
une restriction

un silence plein de principes
comme le vertige plein de rage
un silence construit
au millimètre près, comme un préjugé
un lieu commun et très creux
un silence qui, comme la haine et l'orgueil
n'entend pas à rire et ne veut pas, combien pas parler
plutôt miner, meurtrir, exploser

une tribu d'insatisfaits, de frustrés
d'imbus de leurs pseudo-échecs à faire payer
une trâlée de colériques terrorisants
qui ne savent même pas s'exprimer
quand vient le temps de sortir de la cage, de rencontrer
l'autre avec toute sa tête
avec tout son cœur

des orignaux aux panaches plus énormes
que la forêt — inextricable
des blasés flamboyants, des pseudo-majestueux, princes pas très originaux, qui vivent ainsi, dans ces images d'eux-mêmes, fous furieux affolés dès qu'on leur touche ou même pas, dès qu'on touche à un objet sans vie, leurs cuirasses, leurs talismans, leurs folies, comme les envieux masqués, comme les tueurs de rêves, ils vivent autour des autres, torpillant leur temps, torturant leurs pensées, tous, ils sont blessants, maman, tous, papa, ils sont blessés

victimes devenues bourreaux, les mains trempées
dans leur propre sang et pataugeant sans relâche
dans le mauvais sang des autres
une fois la plaie ouverte

la peau offerte
déjà entaillée
par ceux qui blessent

celui qui se fout de ce qu'il advient des autres comme de lui
trébuche dans sa rage, tire sur la nappe, les chevilles coincées
dans sa chaise renversée
il s'en retourne d'où il vient, en arrière, dans le trop connu

un petit garçon qui voulait devenir un être
et ressembler à un homme, un bonhomme
un honnête citoyen, un genre de mari
amoureux et fier, ce gars-là se barricade
derrière l'image de l'homme
et tremble, explose et crie
fuck, ce n'est pas la fin du monde

il crie pour que tout se taise, *fuck*
la vrille de ce cri fait s'effondrer le sol et fissure le ciel
de grosses vagues de vingt mètres
agitent les bords du paradis
gifle le vent de la tempête au carreau brisé de la fenêtre
hurle le coyote affamé dans l'espace qui brûle
tout s'est noirci de cendres, tout est gris et la nuit tombe
elle tombe sur moi, femme de peu de foi
ayant fréquenté la multitude
déroutée dans la tourmente

un crime est exécuté
le moment se fige, exigu comme la peur
tout tombe dans ce trou
tout le concret, tout l'abstrait
la haine et le peu d'amour

le rêve d'amour qui se brise et nous blesse
à coups d'explosions dans les maisons
le rêve papa-maman
un vieux rêve étouffant, sans lumière ni lueurs
où le jour d'avant c'est comme le lendemain
et où entre les deux, le pire arrive : rien

tout tombe
ce peu d'amour, cet immense rien

il reste quelqu'un ?
un témoin, un survivant ?
s'il reste quelqu'un
dans les ruines
            ohé ? ! !

le dehors total nous traverse
le grand dehors tordu
est arrivé à ses fins
le dedans est foutu
la matière est un piètre absolu
qui nous a bien eus

le pire du monde arrive
ses facultés de destruction
sa rage de catastrophes conçues pour la télévision
le cauchemar en règle gît
et le rêve papa-maman apparaît
entre deux camions qui s'envolent
au-dessus de majestueuses forêts
qui flambent
pour le vrai

l'armée du mensonge arrive avec ses généraux
l'artillerie lourde, les munitions
ses envies de destruction
des massacres ordinaires
crevant dans l'air
des mots insensés
les pires intentions

il y a quelqu'un ?
fuck !

le cœur de l'autre, depuis déjà des siècles
est en miettes, alors explose sa tête
pour me faire mal à moi
                je me répète
                que je suis tout d'une pièce
                pour tenir bon

quel chaos étriqué
amis, bandits, carnages, dérision, espoirs
et détours en sens contraire
et jusqu'à Z pour zouave et zizanie — la zizanie
qui est aussi une plante
qui ressemble à du riz, qu'on peut semer, récolter ou jeter
comme on jette du riz, de l'huile sur le feu
de la poudre aux yeux

tout s'effondre
                presque rien, ce que tu étais, et ce que je ne suis pas
les choses résonnent du bruit des murs
pulvérisés dans nos têtes

je me tiens dans les gravats
dans ce jour en ruines
montrant du doigt
la surface plâtreuse des choses
mais rien ne paraît vrai, ce n'est même pas
la fin du monde
incolore, le renoncement, lisse, la platitude
bienheureux les gens
c'est une mode à suivre, il n'y a qu'à suivre
les règlements
et on recule d'une case et d'une autre
n'importe comment
passer à GO, tout oublier, aller au cirque
se taper un mythe
en deux temps, trois mouvements
la Narcisse-réalité, l'affolement extrême
avide de soi à vide, qu'importe l'autre
l'autre ou soi, fusil ou carabine
n'importe quoi ou qui dans les ruines

quelqu'un a tiré?
j'ai crié au meurtre?

les répliques du scénario flottent en torchons délabrés
sous le fort vent sale
tout est si réel
tout à coup, si affectueusement réel
si monstrueusement vivant
papa, maman

l'amour ne se lève même plus
complaisant et cruel

coincé dans sa tranchée, dans ses détritus d'obus
ses vallées de lettres jamais postées
déchiquetées par les bombes

les ordres sont martelés comme des aberrations
brimades, coups, décharges, explosions
les ordres, le désordre
fuck!

les lieux communs sont hurlés
saintes vérités
comme à l'époque des plus bornés grands-pères
qui voulaient tout contrôler de leur rigide cruauté
    ils étouffaient la vie
    puisque sur terre, il était dit
    que c'était l'enfer

rituels morbides et platitudes
empoisonnent l'heure qui gémit
prisonnière des gravats
tragiquement atteinte

tous ces gravats...
comment sortir de là?

tu raisonnes comme résonnent les cloches
à toute volée
beaucoup trop fort pour les fidèles
déjà massacrés

je détourne les yeux, maintenant
du décor en miettes où je suis empêtrée

pas de blessures majeures
en apparence
    mais le corps coincé
    il n'y a plus nulle part où aller

le cœur serré palpite
y bat ta fureur

tu contrôles, mais quoi?
fuck!

la fin du monde est dans ta voix, soldat
la fin du monde, c'est toi et moi
quand tu cries

ça n'a aucun sens
ça n'ira pas

je vais rester un petit temps dans nos ruines
en silence
les secouristes se seront perdus en route
malgré tout et toi, je serai vivante d'ici quelques siècles
je te ferai peut-être signe
quand je me sortirai de là

avec tous ces gravats qui s'entrechoquent
n'en rajoute pas

ne claque pas la porte en sortant
    merci

et par pitié
ne viens plus traîner ici

quand bien même tu aurais
des fleurs mortes pour moi

* * *

Que ferai-je maintenant
de ces beaux vêtements trop petits
de ces mots trop grands
de mon hystérie ?

toi seul peux me jeter toute crue dans la colère
toi seul sais m'apaiser
toi seul je désire
toi seul es aussi seul que je le suis

que ferai-je maintenant
en si mauvaise compagnie
maintenant que tu es parti ?

* * *

Impasse de l'agonie

D'abord, le souffle est coupé
l'air manque, la tête tourne
puis c'est le corps tout entier
qui est arraché
c'est une maladie subite, aiguë
la sensualité est mutilée
ensuite le sexe devient fou

et on perd la tête
on a une épée dans le dos
du feu dans les os
on est malade
gravement, beaucoup
c'est la fièvre, le médecin
les spasmes de larmes en public
les chats morts dans la rue
la pharmacie avec ses sans-abri
                    qui bloquent la porte
                    pour mieux vous l'ouvrir
                    bonne journée, merci
ensuite on déambule pour se perdre
on rencontre des copains sympathiques
qui nous abandonnent à la foule
on boit comme un trou
et le trou est sans fin
très noir
mais pas encore assez grand
                    pour y loger la blessure
on ne guérit pas
le corps pend dans l'espace
comme une babiole brisée
là, dans un grand coup
le cœur est arraché
et cela dure, pourtant, ventricule par filament
cela s'arrache avant que la torture
ne déchire le ventre
c'est une agonie qui prend du temps
le sentiment d'abandon
c'est une bourrasque océanique, un typhon
viscères et mémoire éclatent

se brisent contre le roc
le dur esprit du monde
contre l'œil du cyclone
que ne cesse le choc
le grand amour nous a trahi, laissé tomber
déchet indéfini, on tombe
ahuri de tendresse
colère et jalousie, paumé du désastre
morbide laissé-pour-compte
si seulement on poussait un cri
un cri de fou au-delà des falaises
un cri de bête blessée, meurtrie
les entrailles sales, le sang noirci
si on lançait le hurlement
de l'ange sous-marin
prisonnier du désert
des sentiments pourris
mais l'imaginaire est perverti
la mémoire choque, le corps écope
la douleur chagrine tient lieu de survie
la tête tourne, tourne sur le cœur

et l'intelligence s'interroge faiblement
« si c'est l'amour qui s'en va
comment diable est-ce que ça finit ? »

Place du Déluge

La place dont je ne suis rien
éclairage blafard, obscur amorphe
et la fête qui éclabousse
soif heureuse et bonheur personnel

les cachots réglementaires
les abris défoncés, les aventures, les aveux dans la nuit
le manque de pognon, les obsessions, la vie
vous ne vous souvenez pas ?

cendres rouges et poussières
maladresse des miettes de tisons
dans le vent éphémère

j'imagine que vous n'y êtes pour rien
si les yeux me brûlent
mais imaginez un peu que
nous avons tous déclenché cette guerre
qui dure, par amitié

dans les cendres et la fumée
tousse un amour gris
c'est la vie, c'est la vie

jamais rengaine n'aura été autant chantée
yeux doux, mains fermées

dans un effort où je ne suis rien
un rêve tombe
    ceux qui ont dit je t'aime étaient soûls
    le vertige dans les ailes
        les autres ont soufflé la bougie
        pour allumer la vie ailleurs
        le vent dans la poche

mais votre amour
c'est l'oubli

    le printemps ne vient pas
    les racines sont pendues aux branches
        ça ne paraît pas funèbre
        c'est joué joyeux

    au beau milieu de la fête de ses funérailles
    l'amour est enterré

    on dirait la vie
    monolithique entre les broussailles
    enfouie sous les couronnes
    et les fleurs coupées

c'est ici que l'on se quitte
qu'on abandonne

j'imagine que vous y êtes
là où vous vouliez aller

loin de moi qui peine à être ici
loin d'ici, là où je peine à être moi
arpentant noms et visages
coincée dans la fête comme sous terre
dans l'oubli

qu'allez-vous faire des autres
au prochain verre?
qu'est-ce qu'on fait ici?

* * *

Te viendrait-il à l'idée de manger ta soupe
dans un bouclier
de subir des électrochocs en mangeant du porc
ou d'aspirer le vide des rigatonis?
te viendrait-il à l'idée de faire un gâteau des anges
en écoutant un épisode sanglant de série policière?
ne te vient-il pas à l'esprit de m'offrir de la coriandre fraîche
de m'accueillir dans ta vie pour me rencontrer?
ne te viendrait-il pas de resplendir
au-delà de ta salade
au bord de ton verre de vin
dans un clair de regard?
libre de me sourire, libre autant que toi
un peu comme j'aimerais l'être
parce qu'on peut l'être, non, ici
relax, éblouis
loin du zinc et du bruit?

l'alcool, c'est toujours plus qu'une femme
l'alcool a toujours gagné sur toutes les abruties

mais l'idiotie domine le podium
le champion fête ça
s'enivre comme un Viking
mangeant vite et mal comme s'il était seul
avec les gestes bouleversés de son angoisse
les mots remâchés de sa peur
tout ça par orgueil, le sens de l'histoire

je me demande comment sortir d'ici
légère et enthousiaste
sans me soûler la gueule

* * *

Le silence, c'est comme tu veux. Le chaos, c'est comme tu veux. Autre chose, l'amour. C'est comme tu veux. Rien. Peu de chose. Un mot pour décorer les temps morts, le repos du guerrier entre deux bouteilles. L'univers en vase clos, une fois ouvert, fait des bulles, et les copains comme de prochains fantômes (noyés pour l'instant dans une solidarité d'occasion), s'enfuient, chacun sa bulle, chacun son éclat de rire en fumée. La liberté est rousse ou blonde, des pics de cocktail plantés dans les reins. Elle te charme et te fait marcher. Et toi, tu cours, toutes dents dehors, les yeux petits. Tu cours à ma perte. Et c'est comme tu veux. Rien. Peu de chose. Amour, adieu.

* * *

Je t'avais offert un poème à boire
tu avais grand soif
tu sortais du désert

Tu voulais sans cesse autre chose
à boire
que moi

Tu m'aimais sans rien pouvoir
me donner
en ne voulant que la guerre
même
drapeau blanc hissé

Dans le poème, un jour
peut-être un sourd moins aveugle
saisirait l'amour, pas de trouble, qu'un effet

Ton temps retrouvé
fuyait comme un repris de justice
tu détestais ce qui m'entourait
moi, en plus, ma vie gorgée d'autrui

Tu avais le gosier sec
le cœur déshydraté
les yeux sortis de la tête
les idées à l'avenant

La bouteille est la meilleure amie
de qui a perdu son âme maintes fois
dans la fraîcheur du désastre

Regarde la honte et le doute
imagine-les enlacés
dans un lit de sueurs alcooliques

Je suis minée par la soif, pardonne-moi

Viens, je t'offre une tournée
on met ça sur mon bras

Bois

Il faut dépenser ses derniers sous
et tous les miens

Puisque tu n'es pas ouvert
fermons la place.

* * *

Je suis née dans les bars
en parlant avec Nietzsche
au comptoir débordant des verres brisés et des jeux de miroir
j'ai connu Jung dans les toilettes et Marilyn aussi
tous deux m'offrant du rouge aux lèvres, des soupirs et un cri
de vraies larmes de crocodile, de bienfaisants jours de pluie
pour la femme coupable qui danse
avec un marteau dans la gorge et des nénuphars aux pieds
va te faire couler

j'ai grandi dans les bars, enchantée comme une sorcière
terrassée par le dragon, incarnée dans le monstre
d'épreuves en pots cassés

le château ne put jamais apparaître
mais voguait la galère
et resta vague toute chimère
périlleuse, la traversée
le prince charmant à cent mille lieues de l'embouteillage
comme toujours
produit dérivé de l'âge de pierre
fondu au noir des boucliers
au paradis sensuel des entités
satisfaites en liquide
rien de sacré, du concret, un naufrage en règle
une vraie noyade

il s'en est fallu de peu
que je n'achète mon tabouret
pour suivre les cours du soir

toute connaissance pour abolir la nuit
reconnaissante aux camarades de brouillard
de réchauffer mon esprit
d'un peu de dialectique
d'un peu de zen
d'un peu d'amour en promotion
pour dix minutes
l'amour ne coûte presque rien

c'est à prix coupés que ça coule
ça se boit la langue, ça s'enchante les nerfs
ça ponctue la semaine de paroxysmes délétères
va te faire boire
c'est comme ça que je t'aime

J'ai vécu dans les bars
conditionnée au jovialisme
j'ai goûté à l'amertume
conditionnée à l'euphorie
j'ai sacré mon camp
nulle part
                    sans bar
                    il n'y a nulle part où aller

c'est comme ça, je t'ai perdu de vue
désolée, mais trop bu c'est trop
un jour, on n'en peut plus

au téléphone
des fois
si tu veux

* * *

Bouquets volés

Car moi j'en ai connu des hommes qui me disaient que j'étais belle quand ils avaient bu, même que la plupart du temps, j'avais bu avec eux et on se disait je t'aime si tu veux, le corps brûlant, je te quitte quand tu veux, c'est quand?

Impénétrables buveurs, délirants d'émotions brutes et menteurs de première, les copains d'abord, les femmes et les enfants pas tout de suite, plus tard, et ainsi de suite, de cuite en cuite, dans le plus épais brouillard. Était-ce bien moi là-bas, dans le noir?

On se démolissait l'obscurité dans le brouillard. À coups de flammes et d'explosions, déséquilibrés, juste assez croches pour ne pas tout à fait chavirer. Allant jusqu'à brûler le bateau en pleine traversée d'un quartier, d'une peau, d'une rue, d'un visage, flambant au hasard, flottant quelque part, pas du tout rendus. La voile déchirée. À la merci d'un récif au large, le genre de récif abritant une taverne ou un bar-fenêtre. La terre dérive, les femmes et les enfants à bord. Comme tout s'éloigne.

« Je t'aime, laisse-moi boire. » Ce genre de truc sous-marin, ad nauseam, la liberté enchaînée à un bock cynique, parois moites, miroir embué. Vase assortie; le péril mal-aimé qui vous envahit.

Je n'aurai jamais eu droit qu'à des bouquets volés, des fleurs insolvables attifées de pots à la mode dans les entreprises funéraires, farcis d'eau croupie et d'odeurs de moisi, des offrandes aussi sarcastiques, fleurs périmées ni fraîches ni affectueusement choisies, mais dérobées aux enrichis trop occupés pour compter les pétales du crime, bouquets volés, cadeaux fantômes de pirates à la manque, désinvoltes glorioles de petits corsaires comptant avidement les secondes jusqu'à la prochaine grande échouerie sur un récif, au large, dans la brume. 5 à 3 dans l'espace, spécial sur le temps perdu.

Le bateau dans la bouteille n'est que cendres. Un homme y a mis le feu. Une fois les cendres solidifiées dans la bouteille, dans le vide, on mettra les fleurs volées. Des fleurs pratiquement fleurs, trouvées sur le pont d'un navire amarré au port, un beau grand bateau sans capitaine, la nuit. Des fleurs sans nom, sans parfum, sans pensée. Un énorme bouquet fané, subtilisé pour épater la galerie.

On dirait des fleurs dans un cendrier, on dirait un cendrier plein d'eau. Le large est au point mort. L'odeur morbide des cendres, plus tenace que le parfum de l'exploit.

Les femmes et les enfants font le pied de grue au port. Il n'y a qu'un chien qui hurle, il n'y a qu'un chien affamé qui s'énerve sur les planches du quai. Bienvenue sur la terre ferme. Au loin se découpe le paysage des récifs dans le brouillard, comme des tessons fondus. Mais ici, c'est chez nous, disent les femmes, cœurs obstinés, têtes lourdes. Maisons sur la falaise et chats errants.

Un iceberg dérive. On entend des rires à bord. Des cris humains. Mais les pirates sont équipés pour veiller tard et personne ne les sauvera jamais de rien.

Autoroute du Système

Le bruit au fond, qui nous regarde
la rumeur sauvage en dehors du désert
nous habitue à plus rien
    il n'y a plus de désert où crier, jamais
    tout ce qu'on entend
    en tendant l'oreille
    c'est le vent fatigué qui gémit

le monde ouvre sa gueule, on n'entend rien
les femmes et les enfants d'abord
ils parlent si bas
on entend à grand-peine le monstre murmurer
tandis qu'il déchire les corps de ses crocs
dans un silence convenu

une patience attentive, tu dis

et moi, je vois ta tête tomber
elle roule jusqu'à rejoindre la mienne
sur le sol épuisé

entre les têtes, il faut bien regarder
où mettre les pieds

nos paroles autour du cou
nous plongeons dans ce silence sanguinolent
en dedans

mais contents de l'espace, privilégiés
comme tu dis

à quoi bon danser la tête coupée
de la terre dans la bouche
des cailloux sous la tête
ahuris

tout ce que moi j'entends
en tendant l'oreille
c'est le vent fou qui pleure

* * *

Les enfants jouent, un cercueil m'attend
ce n'est pas du velours, qu'un vide violent
un trou de plus dans la matière
détail innocent

le désastre s'éternise
la pensée disparaît
        pendant que les gens s'assassinent
        ils crucifient les enfants
ça se pense vivant
et ça tue

mourons en chœur, crevés avant l'heure
menteurs de métier
conventionnels comme des bibittes
qui tuent par douleur
        mourants optimistes
        la rage au cœur
un exploit, le bonheur
remue, encore vivant, dans l'assiette

la fête est interminable
la nappe du banquet est pleine de taches
devine quoi
combien de sperme, combien de sang
combien long de corde ça prend
pour ligoter les enfants
que nous sommes
affamés d'autres mondes, d'autres merdes que la joie

        voilà la mesquinerie, l'hypocrisie, la tuerie, la vie
        au centre de la table
            gâteau de noces
            rongé par les vers

* * *

Les grandes émotions du mensonge universel
se trahir soi-même, devenir quelqu'un pour personne
écraser la romance sous le poids du mensonge
et se saigner, s'ouvrir la tête
se précipiter le cœur dans le ciel
pour le voir retomber sur la Terre qui déchire

Les grandes émotions du malheur
inventé, en faire rajouter par son prochain
les passants, les inquiets, les radoteurs
le XXIe comme une démence
toute perception comme une erreur
le trou noir dans la cuisine
dans un livre, un éclair
partout, des orages
que de bombardements et de peur
sur la Terre du crime

Les grands sentiments
du vent dans les rues désertes
un soir de tonnerre, des aboiements
du romanesque grotesque et pesant
un vocabulaire du désir, aussi froid que sec
sur la Terre du pire

* * *

Pleurer toutes les armes de nos corps, oui
lacer les chaînes dans les œillets
tourner autour du boulet
engloutir les canons dans nos rivières
entendre jusqu'aux torrents amers
le clapotis nucléaire des océans

pleurer les armes fossilisées
décharger l'enfoui
déchirer nos dentelles, les repriser
savoir jamais avoir pu les inventer

elles flottaient au-delà de nos paupières
entre l'espace flamboyant et le temps compté
atmosphère, atmosphère
peau du ciel trouée

pleurer du rouge à lèvres
moucher les histoires dans du synthétique éprouvé
jouer à la roulette russe, tomber sur le vide
liquider toutes les armes
et le charme, le noyer, et la guerre, la déchirer
en faire une dentelle ajourée
par où regarder bouger le ciel
qui nous reste

pleurer toutes les armes de nos corps
mais les couteaux dans les yeux
ils ont jadis été lancés
les coups d'épée dans l'eau, déjà donnés
que reste-t-il à verser ?
les débris violets du sang, les cailloux de la route
ruisselants
et le ciel, la Terre, le temps

* * *

Voilà, c'est fait, le ciel est tombé du toit
il n'y a plus rien, pas même de nuages
il n'y a plus que l'aversion, l'averse
infini sans couleur, informe masse du temps
ciel blanc, nuit pluvieuse
grisaille emballée par cette chaleur
artificielle de l'homme

la nuit des temps se cogne au sol
avec un bruit d'avalanche coincé dans un cri lourd
d'inondation
toute cette boue qui coule partout
cette boue ressemble en son miroir
à la définitive absence de ciel
 absence produite
 par les animaux évaporés
 à deux pattes dans la vase
 aimée

il pleut du gris pour l'éternité

si le ciel pouvait être une fumée
tout serait parfait, de boue et de fumée
sous la fumée, la boue
mais justement, c'est par trop de fumée
qu'il n'y a plus d'existence
qu'il ne servira pas de sitôt à l'avenir d'exister
que le ciel a cessé d'exister
il craque dans le silence
et le silence n'a jamais existé

toutes ces traces dans la boue, ces traces
inondées, c'est ce qui reste comme surface au non-ciel
pour se mirer
alors il laisse tomber, il ne regarde pas
ne voit plus rien et tombe en bas
cerné jusqu'aux étoiles, il tombe du toit
 piétiné sous nos pas
 le ciel troué, le non-ciel fatigué

ne s'en relèvera pas
tombé sur terre
dans de mauvais draps
que le vent ne sèche pas

il n'y a plus d'horizon
pour s'accrocher au ciel

* * *

Il pleut
comme si nous n'y étions pour rien

ce crachin plein d'espoir
annonce un printemps de plus
sur la terre fascinante
façonnée comme le ciel

il ne pleut pas
naturellement

* * *

Près d'ici, des villes et des villages inondés
des torrents de boue coulent des montagnes arrachées
on se demande si ce sera la peste ou le choléra
on ne se demande pas si ceci peut se boire
si cela peut être mangé, on vit encore, près d'ici
une fois la terre liquéfiée, le sol a tremblé
dans les montagnes

faute de pouvoir nommer les paysans disparus
on lance un chiffre dans la boue
on filme un chiffre noyé

il fait gris comme le jour où le ciel est tombé
il fait même un air froid
qui fait des poches sous les yeux
des enfants du bruit

autour
ce faisant
on vous enjoint de rejoindre vos semblables
sur cette terre qui vibre, magnifique

et on se demande qui le choléra, qui la peste
qui meurt dans nos bras

il fait gris et la prochaine fois qu'on m'enjoint
de rejoindre je ne sais qui, je ne dirai pas un mot
n'attendrai pas dans le hall
que l'absence de hasard m'apostrophe
de ses vérités humaines
je ne braverai pas le danger pour fuir, non plus
pour fuir à m'en faire découdre dans une ruelle
par une nuit de pluie totale
entre les possédants, les vendeurs de couteaux
et les manchettes du journal
    je choisirai de ne penser à rien
    stupéfaite et déloyale
        ma tête gémira
        quels semblables?

pour l'instant
je ne sais plus quelle langue je parle

d'abord, il me faudrait de plus petits yeux
et un meilleur cœur

la prochaine fois
je penserai à nous
presque rien sur cette terre
    et si j'y arrive
    je t'enverrai une carte postale

* * *

Le ciel est noir de monde
la couleur des rivières est américaine
la source coule avant d'être tuée
ma petite est comme l'eau et la terre perd la boule
par grandes lampées et gros morceaux

* * *

Agitato oceanus

pour Sylvie Chenard et à Suzanne Jacob

L'Arche de Nobody est une banque qui prend l'eau
coupe l'air de la terre, et ses marmots
malingres et farouches
étouffent

les tirelires de familles
les fortunes de pauvres à l'os
se déversent au casino
l'eau s'infiltre dans les tunnels du métro
les tarifs montent, les parapluies cassent
les carcasses rouillent, le jour moisit, noir-jaune et gris
les macareux, les pluviers, les bernaches et les sternes
frôlent de leurs ailes l'Océan
Sa Majesté l'Océan, couchée, agitée
sur un flanc et sur l'autre, gulf streams et baleines
modifiés au mazout, à l'uranium blanchi
brouillés de déglaciation, d'ozone fondu
dans un gris-brun verdâtre par-dessus le gouffre
fosses abyssales, notre berceau

le ruisseau est mort, la rivière n'est plus
gavée de merde, ou harnachée, vendue
le fleuve moribond
s'arrache des marées mortes en désespoir de peine
pleure ses bélugas et ses plus minuscules poissons
et la mer de déchets
et l'Océan, Sa Majesté l'Océan
crève

l'Arche de Don't Know est une banque
soudée sur un radeau
au petit bonheur la violence des flots
        des étoiles de mer difformes
        comme nos mains de pirates
        jonchent la grève sale

nos mains
de monstres
des millions de meurtres
incrustés dans les paumes

la tempête nous emporte
n'épargne surtout personne
des remous gris-brun inondent l'immonde
jettent toute l'eau sur le pont du bateau
des flots plus jamais bleus

l'amour a pris l'eau avant la banque
les églises ont flambé, déjà calcinées
dans la boue, ruisselants de fièvre
le sourire aux lèvres comme des figurants
nous posons
réclames de bon temps
semblables en gloire
carnivores bêlants

Sa Majesté, sans cesse
gruge les côtes, absorbe le littoral
et les fondements, glaciers fondants
conquièrent les îles à la force des tempêtes
de désolation
ouragans, cyclones, typhons

l'Océan, Sa Magnificence
compagne souveraine de Sa Majesté La Terre
de Sa Majesté Le Ciel
venues belles au monde avant d'être laissées
pour sales et affamées

tenues responsables du dévasté
laissées pour presque mortes
sous le nom de dieu, au nom du diable

les mercantiles mécréants
pratiquent le viol des Beautés
l'extinction des Espèces
pour redorer l'Arche
vaisseau perdu dans le mazout des flots
pour tout l'or du monde

Votre âme bleue, Votre Majesté
Votre verte splendeur et vos milliers d'yeux
nous manquent
tout est si gris, terne comme l'argent
tout est lourd et sale maintenant
nos yeux boueux, nos pieds pesants

Vos Majestés, Maman La Terre
Papa Ciel, Frère Océan
qui unissez vos larmes
tandis que nous allons, corrompus reptiles
des algues au cou
les chevilles attachées aux épaves
lézards de radeau, rats de cale
cailloux des bas-fonds, microbes d'abysses
poussières déshéritées
poches vides et yeux cernés
parricides, fratricides, marricides, pesticides, carnassiers
cannibales, caractériels, herbicides et radioactifs
des algues malades autour du cou
des grelots aux pieds

des roches dans les joues
les fous de Vos Majestés
les clowns de la fin du monde
dans vos vallées et sur vos mers
à cheval sur vos plaques tectoniques
en équilibre instable dans vos montagnes
et jusqu'au noyau infernal
nous, voilà, plongés au cœur du monde

en d'autres temps, dans un espace imaginaire
nous étions convertis aux arbres
évangélisés des falaises
des croyants presque verts
la boue était comme notre salive
et cette pluie, notre sang
notre respiration suivait le vent
et la lumière nous donnait
un tressaillement qui faisait vivre

telluriques, océaniques
nous étions légers
des mouches dans le cosmos

nous nous sommes alourdis
ne pouvons plus vous prier
de nous gracier
                Votre Vie s'efface
                sous les monstres
                de nos mains

les pirates de l'Arche, hors d'atteinte
investissent dans la brume, compteurs affolés

mais avant le naufrage, donnez-nous la paix
votre grande paix saccagée, Vos Majestés
immergez-nous dans votre humilité profonde
nous, âmes perverties, corps troubles
vos petits frères vendus

Sa Majesté, l'Océan, Sa Majesté
qu'elle parle en notre nom
nous, les complices du naufrage
impuissants comme des assassins
rats des villes, rats des champs
coincés dans la cale quand tout fout le camp
entre deux sous-marins atomiques
entre deux vagues de guerre et d'argent
nous te prions, Frère Océan
nous prions sans savoir le faire
impuissants jusque dans la prière
mais croyants au bleu dans l'air, au vert du temps
entre les accablantes grisailles
dans ce paysage de terre pillée
nous te prions, Majesté
de laisser quelque chose de vivant à Maman

laisse-lui, par pitié
son cœur brûlant

* * *

Il y a le système solaire et le système nerveux
entre les deux, il y a le système.

Toutes les autoroutes mènent à la planète américaine.

Maisons modèles sur les terres contaminées, condos dans l'aire industrielle, golfs de luxe sur tapis rouge, maisons usinées avec cabanons entre les entrepôts géants des zones commerciales, paysage toxique cerné de panneaux gigantesques vantant le cancer de la viande et la viande en concert. Aromathérapie de cochonnerie sanguinaire affichée dans un champ dévasté, un champ comme une usine de banlieue. Ozone dans le torride des effets de serre, zones sans oxygène, zones brûlées des bolides.

Toutes ces autoroutes avec une seule sortie : la planète américaine de bord en bord, dégâts irrémédiables qui grugent la planète, la planète hors d'elle-même et l'ancienne, la déjà saccagée qui gît sous la planète américaine. Tout ça pavé d'autoroutes. Un système. Une nouvelle façon de crever en accéléré, très seul, complètement ensemble, en un seul atome de cosmos, le même dépotoir.

Changer le monde coûte des milliards. Regardez ça aller.

* * *

Le marchand de réalités est passé
j'ouvre mes jolis yeux
de poisson à moitié mort au large
        comme c'est curieux
la fée Mensonge est la seule à rester
les pieds pesants sur le quai
grosse comme indigeste, un pétoncle gonflé
à me regarder me perdre

séduisante fille sans coquille
à l'apparence de poisson effaré
pour pêcheurs affamés

au large, les nappes de pétrole et
de chiures d'industries sont fatales
j'ai mal aux yeux, je les ferme
c'est curieux, c'est aussi douloureux
alors je les perds, ils disparaissent
dans la mer de merde
et je reviens à moi, au quai
poisson vivant, aveugle
à la merci de la fée Mensonge
qui a tout acheté ce qu'il y a de pire
de la mer au marchand de réalités
avide comme un banal criminel

je lui glisse de la gueule, à cette sale fée
et me fais écrabouiller les arêtes
par les bottines du marchand
qui a glissé sur le quai
zigzagué et glissé sur des tas de poissons hideux
il glisse si bien et tant qu'il finit dans les bras de la fée
s'y accroche, le salaud
moi, il me reste deux petites ailes, rien d'autre
la queue et la chair écrapoutie sont laissées
aux chiens de race des touristes
mal élevés

dans le délire, par mégarde
confuse, les joues en feu
la fée Mensonge m'offre trois vœux

avec le premier, je l'expédie dans
la gueule d'un requin, avec le deuxième
le marchand de réalités est refusé comme
délégué au Sommet de la Terre
et avec le troisième
je deviens un stupide poisson de rivière
mais j'ai des yeux, mais j'ai des ailes
et les chiens de touristes sont loin

mais cette rivière n'est plus une rivière
c'est la merde de l'homme ordinaire
empoisonné
sans autre destin que celui de m'amalgamer
au débordement des eaux usées
            contre les barrages affolés
je finis parcelle de champ noyé
tache sur la fenêtre
d'une maison qui dégringole

* * *

La plupart utilisent des misères comme passions
les chantonnent en sérénades dévastatrices
jouent du couteau comme il faut
fréquentent les magnats du dégât, fabricants
d'autruches numériques, artilleurs collatéraux
crachent sur l'humanisme et croient se répandre
par les plus froids conduits de la philo
séducteurs de victimes
philanthropes du dimanche
à la gomme
de poison

Beaucoup sont mégalos, intrigantes, cruelles
insignifiants, pervers et le reste
ils se tiennent, tous
mais ne tiennent à personne
complètement marteaux
tapent sur ce qui se tient dans l'enclume
une miette de temps, un peu de vie
un morceau d'autrui trop résistant

Bon nombre ne regardent pas le morceau
et entaillent le monde

* * *

Après nous avoir coupé le sexe
ils nous ont vendu de la glace alcoolisée
de la bière encore et des cigarettes coupables
qui goûtent la forêt malade, la mort honteuse
l'assurance empoisonnée
ils viennent de découvrir que l'alzheimer
est causé par l'atmosphère, l'air irrespirable
cloné depuis un siècle d'industries
furieuses, pour la plupart militaires, éparpillées
nucléaires, de par la Terre niée

les gouvernautes, empruntés
se plient à la finance industrielle
comme des rosiers perdent leurs épines
au moindre vent chimique

consommateurs de fin du monde
inondés par le feu, le bec à l'eau
les gens se dépêchent, plus rapides que la vitesse
de vivre
avec ce qu'on leur laisse
l'air carbonisé de bactéries
d'attrayantes maladies, de nouveaux cancers
à perte de vue, l'angoisse et pas de budget
que des anxio et des anti
pour jeter dans le flou la vie
l'état de la Terre où s'empile le monde
cadavres, peurs, profits

la pluie liquide les sols
il neige dans le désert
les maladies mentales abondent
la Terre se fend le crâne à repousser
le ciel qui tombe
il y en a pour ne pas dormir de la nuit
pendant les bombardements à l'autre bout du monde
        l'homme explose sous la peau
        et le sang gicle du rêve
voilà la paix

on sait qui fait fortune
vies teintées dans l'ombre
on sait qui fait commerce d'organes d'enfants
traitent les êtres en clones
depuis longtemps acquis, produits esclaves
de produits

on part du principe qu'il n'y a pas d'amour entre nous
qu'il n'y en a jamais eu beaucoup
c'est le gâchis final, con-sci-em-ment
bien que le discernement ait perdu la cote
le temps presse et se comprime
        c'est atrocement physique
                une planète en train de disparaître
                    en accéléré

on jette ses yeux dans la rue et on les perd
on oublie ce qu'on voit
on oublie qu'on a vu

* * *

Racines anesthésiées, errances électrocutées
à l'ombre de l'Oncle Néant, il n'y a que de l'obscurité
partout au monde, au même instant
tout sombre
        la nuit n'est pourtant à personne
        et le jour, où est-il passé?

l'oncle est vide maquillé, vide reluisant
mais néant, et nous, est-ce possible
vivotons dans l'immonde
        alentour, l'espace gronde, encore vivant
        mais personne ne reconnaît plus son ombre
        dans le chemin du temps

dans la lumière grise, des êtres commencent à se parler
après toutes les grèves et les quêtes
autour des arbres coupés

des espoirs inarticulés circulent
entre les bûchers éteints

sous le ciel accablant, pourtant
les atomes indifférents dominent
les relations publiques

* * *

Ils coopteront les gènes de Pinochet et de Mussolini
pour les mixer à l'ADN de Walt Disney
ils en sortiront une série à tirage limité
pouvant haranguer les foules
les yeux secs, la bouche hurlante
les couilles en néo-mitraille stratégique
et pendant ce temps, ils se mettront à table
les gagnants, à la Bourse inondée
sur les restants de terre fracassée

pour varier le menu fretin du peuple
on clonera un mendiant en y injectant
des gènes de Dolly et de Tweety
et on déclenchera de petites guerres
si le modèle s'avère inutile
ce sera une sorte de produit facile à génocider
on a, de toute façon, plein d'autres idées
pour ce qui est du peuple
des flics et de l'armée

* * *

Écoutez le son des guenilles
la musique du délabré
qui jouit de chaque miette

entendez la violence
derrière les paravents payés
de la sécurité impavide

faites resplendir les règlements
aveuglément subterfuges
maniaques conventions

écoutez la déshumanisation
faire saigner le vide
se blottir, s'engourdir dans la haine jusqu'à
la dernière joie, peur ou cruauté

ouvrez grandes vos oreilles
prenez garde aux violeurs
le monde est violé cent fois par heure
aveuglément allez, aveugles
le monde est instantané comme
le bonheur   BIEN AGITER   shake well

* * *

Légitime paranoïa, dark system
Lézarde-carapace on the rocks

Bienvenue qui débloque
des centaines de systèmes mis à mort
par un seul traitement de choc
Carte à puce, petits écoliers
Grande dérision, célèbres souffrants
profond gémissement, phénomène courant
petite surface, ridicule blessure
que ce temps de crasse
que ce temps casse
me laisse un soir sourire
m'abreuver d'une grimace
me contorsionner dans le martyre
Fuck la carapace
Dark system

Les lois de la douleur, je n'en connais pas le régime
les articles, les alinéas, ni les filles de joie
ni les femmes de ménage, ni les avantages
d'ailleurs, même l'ironie, je la fais pleurer
mondiale et personnelle, quelle erreur
indiscutable
pardonnez

Big Brother vous conseille d'acheter cela
à grands renforts de ritournelles invisibles
dans les haut-parleurs imperméables
du saint commerce

soyez légers, divisés, aléatoires
collègues et concitoyens
ce pauvre dieu n'achète plus d'âmes
Big Brother ne vend rien, non plus, il prend

ne vend rien, mais vous achète, et vous achetez
achetez quoi ? tout et rien, évidemment, bien
ça fait du bien, rien, visuellement

Big Brother vous aggrave
quel épatant fond de teint
quel joli imperméable
tout se marie très bien avec le canapé, la démarche
le sourire forcé
avec le concentré de tortures et le surgelé de requin
le prêt-à-engloutir n'importe quel corps
vidé de ses moyens
maintenant, sous le régime mondial
n'importe quel corps
au régime totalitaire, au régime, enfin !

cérémonie efficace
dans le protocolaire effet de survie
s'amènent le dérisoire, le mesquin
bienheureuse chimie après ce repas d'enfer
joli dessert, très recherché, vide en calories
vide jusqu'à l'impossible modifié humain
— c'était donc la destination ? —
le banquet inhumain

oh ! excusez-moi
je me suis sûrement trompée de train
d'avion, de banquet, de drapeau, de langue et de mots
de real poésie, d'au revoir et merci
j'ai manqué à tout ce qu'il faut dire comme il faut
je me suis fourvoyée

je n'aurais pas dû venir
je n'aurais pas dû composter mon âme
déjà, c'est vrai, elle ne servait à rien

je suis nulle et là par erreur, et bien sûr
que mon assiette aille aussi à la poubelle
mais passez-moi le luxe de l'addition
Dark Carapaces, dans votre système
je ne vaux pas un rond, ni même une larme
je ne suis pas votre amie ni votre sœur

considérez néanmoins mes sentiments distingués
à votre insu, j'en ai, et j'y ai caché tout l'amour que j'ai
pour votre histoire bouleversée

mais je vous serais très obligée de bien vouloir
ne plus transmettre mes salutations désespérées
au nouveau dictateur

Fuck Big Brother   Fuck la terreur
cordialement
à vous

* * *

Cul, techno et cellulaire
zapping, string et luxe
à droite, camionnettes aux abois
et bâtards abandonnés
chiens, whatever, bébés
hurlant sur les balcons

mendiant sur la ligne jaune
de l'avenue de la Liberté
aux Champs-Élysées, de la rue Saint-Denis
à l'impasse Sainte-Hélène
types exagérés hurlant dans les couloirs
en riant trop fort, comme dans un tunnel
dans le noir, sur cette terre
à une vitesse extrême, les phares enfumés
imposant tunnel de voitures fracassées
et au bout, so, what's new?
quelle lumière?

* * *

Tout cet argent pour les feux d'artifice
tous ces yeux rivés sur le virage pyrotechnique
ces cœurs battants, ces yeux grands brûlés
et l'amour qui crève de froid, de faim
ange noir dans le noir

* * *

Je n'étais jamais allée dans ces pays
où l'amour disparaît dans une crevasse
chez nous, l'amour fait la grimace
chez nous, l'amour fait le mort

on panique sur le temps, accrochés
dans l'espace, occupés à combler le néant
de données informatiques, du droit inaliénable
d'être bien portants, mais contre toute attente

le néant est pesant et il pèse sur le cœur
relocalisé dans les compartiments du cerveau
il fait fructifier les recettes de comportements d'obsédés
de la sécurité, jusqu'au désastre
jusqu'à la banqueroute
la grande liquidation de l'humanité, coûte que coûte

les draps sont blancs
le pain goûte le sucre et le désinfectant
les gens se créent des problèmes qu'ils n'ont pas
s'inventent des misères quand ils n'en connaissent pas
des problèmes en des termes superlatifs
pleins d'additifs et de contretemps
mais l'amour
l'amour qui glisse dans la nuit
emporté par un torrent de boue

l'amour ici
il est dans la vitrine
il est dans le rayon des bestioles en plastique
il fait fortune dans le divertissement
le sexe techno, la bestialité numérique
jusqu'à la banqueroute
les âmes transportent leur vide, leur viande
de la télé au supermarché
formatées par l'avidité, les âmes sont chiches
frénétiques de combler un vide spécialisé

chez nous l'amour fait la grimace
chez nous l'amour est un ressortissant
sans ressort, qui panique
fait un boucan du diable

il conduit tous feux éteints
rage au volant
passe les frontières
en hurlant
danger public en état de crise
silencieux brisé, le volume au fond
il roule, fou furieux amnésique
sans jamais se faire coller de contraventions
il mord la route
jusqu'à l'accident
le bienheureux crash
violence banale, divertissement extrême
trace d'humanité

* * *

Pas à pas dans la brume
de plein fouet dans la catastrophe
quelques-uns s'en sortent
les autres font fortune
la multitude est faite comme un rat
c'est le même ciel troué qui se resserre
sur tous
et la beauté est difficile maintenant
il faut la pousser de toutes nos forces
à la lumière
sans pleurnicher ni fléchir
la beauté
il faut lui rendre grâce
oui, mais qu'est-ce que c'est
de si difficilement vivant

la beauté
est-ce l'humilité et la force
sous le soleil qui luit ici-bas
qui bat, le soleil qui bat
dans la poitrine des êtres clairs
          certains sont ce qu'elle est
          quelques-uns s'en approchent
          les autres font piètre figure
          visages compassés ou
          visages annulés sous la torture
et la multitude affamée
brûle de s'inonder de beauté
          sans en avoir la moindre idée
tout en portant ses blessures

* * *

De petites Indiennes, leurs bébés malades
sur le dos, tendent la main à des touristes si blancs
que le ciel éclate, rempli
d'aigles américains crevant les nuages

L'impérialisme *mondial* délègue ses princes
poètes, fiscalistes et autres vendeurs d'horreurs
les réceptions croulent sous l'opulence
tandis que la mort se joue, tout sourire
une petite Indienne danse ses traditions

Des voix françaises, anglaises, allemandes
font une langue trouble, doublée en espagnol
qui martèle les espaces blancs d'un requiem
lointain

on *entend* le sourire de la mort
par-dessus l'hymne américain

un squelette chante, ici
d'une voix de fourmi
Libera me

et sur ce murmure
Zapatina danse sa vie

* * *

La vie est une chose ronde
un cercle, et ça ne bouge pas
par contre, dessous
sol mouvant
failles, crevasses, affaissement
ces distractions
car pour le reste
ça ne bouge pas

cercle rouge sur la terre noire
saignements de cierges
dans le bougeoir
rond
du monde
qui s'éteint

sous le dôme qui prend l'eau, manque d'air
une prière
et pour le reste, la vie

mais quels dimanches après-midi
nous restent, sur la terre
ou alors, qu'un seul
après-midi de bonheur?

la vie est une horreur, un cercle
ça ne bouge pas

laissez-moi passer
il y a de la boue pour tout le monde
une catastrophe n'attend pas l'autre
mais m'attend, moi, j'entends
dessous
sol mourant
ciel à l'avenant, à l'avenir
ces dissolutions de charivaris
de cataclysmes, de bactéries
rouges et noires
à la ronde

la boule prend feu sous la pluie battante
saignements d'uranium dans la bouche des petits
échauffements graisseux dans le sable luxueux
carcasses dans l'herbe morte
du vaisseau mondial, boueux

après les séquences dans le noir
on rallume

mais les lumières clignotent
on n'est pas sortis d'ici
du paquebot de l'esprit

en flammes
voguant tant bien que mal
proue affolée de par les océans déchaînés
mers en furie sur le globe
où s'écroule la vie

* * *

Vieille vague

Il y a un trou dans la couche du monde
de la boue partout
des restes d'enfants dans les dépotoirs
des visages d'inondés dans les squares surpeuplés
des traces de clones dans le sablier
WE ARE THE WORLD
WE ARE THE CHILDREN
sur les avenues de la lubie mondiale
il y a un nombre incalculable de défigurés
des trottoirs de marbre où tu peux *bien* crever
et de l'autre côté des barricades
il y a de joyeux malades
qui rivalisent en plaisirs monnayables et flous
amène-toi chez nous

entre Américains intraitables
et bunkers sous la pluie
entre cyclones inversés et larmes de verglas
entre cervelles d'oiseaux et médias
il n'y a plus de climat qui tienne
c'est comme ça que je t'aime

entre neige d'Istanbul et froid de Tchétchénie
il y a des restants d'hommes
et plus de sens à la vie

alors je sens en moi
mon cœur qui bat

de l'autre côté des dégâts
il y a la douleur bâillonnée dans un placard de l'histoire
des scarabées à la Bourse
un crucifix dans le cendrier
une *discoteca* à pile décorée par l'armée

voulez-vous mourir *avec moi, ce soir?*

dans le champ frénétique
entre les bouteilles et les cadavres
il y a le poison de la joie concentrée
une avalanche de pilules de toutes les couleurs
des vedettes en noir et blanc remixant le désir
spectacles gluants, esthétique martyre

votre beau discours
mon cœur n'est pas las de l'entendre

le délire de vivre sans merci
les joies amorphes de la publicité
divertit on ne sait plus qui
d'étourdi, de branché

j'attendrai toujours
ton retour

il n'y a plus d'amour à quérir
plus de geste où s'envoler
de ces mouvements capables d'immensité
il n'y a plus que d'étroits rappels
de fourbes succédanés

je t'aime pourtant, d'un amour ardent

les nouvelles sagesses singent la loi du commerce
chacun s'enferme dans le restant de lui-même
à moitié aimé
ayant gaspillé les trois sous de sa quête
pour perdre la voix sans avoir pu chanter
aimer, même trop, même mal

l'autonomie perd la mémoire
en plein exercice de son pouvoir
le dialogue est court-circuité
les sourires armés jusqu'au thorax
font grincer le cœur dans l'obscurité
et les mots tombent comme des pendus
accrochés morts, installés rompus
la dignité est dans le saccage
le savoir-vivre fait dans l'horreur
vaniteux tordu
tu m'aimes-tu?
c'est comme si l'intelligence du cœur
avait fait faillite sans que personne
ait remarqué le phénomène
il y a longtemps que je t'aime

sur le pont impayable
au-dessus de l'amour sale
qu'un amas de détails, le ciel brun
les grands chênes radioactifs
le monde aquatique en décomposition
tout ça cul par-dessus tête
et comme le reste, stroboscopique
à en avoir le cœur haché, préemballé
je me fous du monde entier

la Terre est un effet secondaire
fatale énergie, matière niée
quand on n'a que l'amour

il n'y a plus que des mariolles
qui s'échangent des silences adaptés
malaises tout sourire
refus polis, repolis
aplatisseurs d'un drame généralisé
qu'il est difficile d'aimer
par là des peaux d'occasion
miment la tendresse et parodient l'ardeur
par ici tu brûles entre les peurs
et la mort te suit
Dieu réunit ceux qui s'aiment

personne ne dévisage la détresse
sans l'avoir d'abord accusée
partout peut se faire un marché
profits mécaniques, humanité volée
sur l'écran allumé, le vide sympathique
ne fait que passer
les carences fidèles font le plein
chez les illuminés
sur le mode cool
les relativismes grossiers
SKIP
abondent en trous noirs suréquipés
jamais, jamais, vous ne saurez jamais
si ce n'était qu'un jeu ou si moi
je vous aimais

il y a un delirium tremens d'intensité
une multitude de solitudes affamées
d'images assoiffées

pourvu que toujours
vous répétiez ces mots suprêmes

sexe et hiérarchie, crise effacée
milliards d'effets, même à rabais
tout est compris

pour couvrir ton corps d'or et de lumière

il n'y a plus de poème qui tienne

l'amour est sans pitié

mais il y a je ne sais quelle vérité
qui plane, à peine contaminée

jamais je ne t'oublierai

il y a je ne sais quelle beauté qui persiste
sans doute vivante
mais donnant tous les signes
d'avoir été tuée

aimons-nous quand même
la mort unit sans retour
aimons-nous, je t'aime
je te tuerai mon amour

Musique : Jacques Brel, Claude Léveillé, Édith Piaf, Jean Leloup, Jim Corcoran, Gilles Vigneault, Richard Desjardins, Jacques Michel, *À la claire fontaine, J'attendrai, Fascination, La Vie en rose, Parlez-moi d'amour,* États-Unis d'Amérique (en groupe ou en *traduction…*), Yvon Deschamps.

Ponts de glace

J'ai tellement peur que tout
cet amour soit inutile
que ça ne rime à rien
qu'on se pète la gueule
dans une ostie de dernière guerre, enfin

que ça soit vraiment
plus lâche que ça, tu meurs
plus éloigné des autres
encore pire que la peur
la honte d'avoir à aimer
masquée d'un léger maquillage
un babillage et des agrès
qui tiennent le coup, qu'importent les secousses
tout ça maintenu et contraint
dans une haine philosophique
du psychologique, le plus vilain petit dénominateur
le sens commun affectif
comme si le bateau tenait sur la mer
par la seule force de son destin impérial
de paquebot transatlantique
complexe sous-marin

une merveille, ce vaisseau d'exception qui fend l'eau
sans nœud, avec force apparaux
indomptable figure de proue et menus drapeaux

j'ai peur que la boucle soit bouclée
et que pas même une petite fourchette
ne vienne à bout du nœud

des fois, c'est dans la gorge
qu'un chat est fait prisonnier
noué dans sa propre queue
rendu fou, c'est dans la voix qui s'est tue
que grogne et griffe le chat
et personne, jamais, n'a rien entendu

il faut appeler un chat, un chat
et ce problème, un nœud
les ficelles sont si mêlées
ligotées, calvaire !
toutes apparences brouillées

j'ai tellement peur d'avoir à porter ça
que le monde entier soit une patente
qui ne rime qu'avec ce genre de choses
au fond de la tête, au creux du ventre
gorges nouées
qu'on ne se soit jamais aimés

Sur la grève à Kamouraska

À nous deux, nous sommes plus lâches
qu'un béluga qui meurt dans l'estuaire
              pas même rendu à la mer
plus petits qu'un goéland
qui dégueule au-dessus du fleuve
              gavé mais affamé
comme tout le monde
plus mesquins qu'innocents
et au diable la morale
et tous ces effets du temps
quand je parle, j'ai autant quinze ans
que cent deux

écoute une minute, capitaine
les étoiles tombent dans un fracas
de verre brisé sur la grève
à quoi as-tu pensé ?

dans leur chute, les Perséides
nous regardent tout polluer
une fois ta bouteille lancée
qu'advient-il des insectes mutilés
sur la grève enflammée
qu'arrivera-t-il à ta petite sœur
le pied coupé pour la folie du monde
ne vois-tu pas qu'elle sait marcher ?

comme toi
seize millions d'années
viennent briser leur lumière
contre le sol éprouvé

je ne donne pas ma clef
je ne donne pas ma place
remarque
je ne donne pas le change non plus
on roule plutôt sur un dix sous
je mettrais une piastre là-dessus
ou dix ou quinze
mais je ne ferai pas l'aumône ni la guerre
laisse faire l'arnaque
une seconde, nous sommes ensemble
sur terre, bienvenue, bonsoir, tant mieux

si tu ne veux pas recevoir
les retours de Saturne de l'estuaire
connaître la colère des battures
cesse de hurler
le feu est éteint, il fait un peu froid
même si les filles sont fines
les étoiles tombent du ciel
les goélands passent
et dans les odeurs qui restent
s'éternisent les bélugas
absolument comme toi

trente-deux ou trois milliards d'années
d'espoir
colorent la grève
et tu t'en fous

regarde la nuit, comme elle ressemble
aux charmes de la vie

dans l'obscurité
aux rires des filles qui restent
malgré la folie, le monde ressenti
fou

tu verras, quand tu auras cent un ans
en ouvrant le poing, dans tes paumes
tu verras, tu liras, tu boiras
le silence mouillé qui console

en attendant, dès qu'on se parle
nous avons quinze ans
nous avons de quoi tenir parole
dans cette nuit folle qui nous étreint

le spectacle illuminé du ciel
fracasse ses étoiles pour nous troubler
zigzagants sur la grève
insectes libres entre deux marées
bouts d'étoiles raccommodées
en épouvantails à dix pattes

voilà la nuit qui s'esclaffe
cesse de crier et prends-la
poursuis-la, entends qu'elle t'écoute
tout en se riant de toi
jumeau du goéland, frère du béluga
enfant des grèves
comme les filles du coin et les mères poules
elles sont toutes là avec toi
et moi

à nous deux, nous sommes plus riches
que mesquins, pauvre vieux
cesse de crier comme ça

les Perséides passeront tout droit
et Lala, et Marie
et le silence de la vie qui crie à mort à lui seul
et les géantes rouges qui nous frôlent en parlant
et les trous noirs qui nous caressent
et le silence mouillé qui console
même le temps fou, même la nuit
ils passeront trop vite
elle passera tout droit
elle te passera sous le nez
vraiment très proche
et pas à seize arpents
comme l'habitude de l'espace
t'a berné et bercé
elle sera si proche, presque intime
elle passera, cassera
la vie
cesse de lui hurler après, cette nuit
prends-la, félicité, éprends-toi d'elle
fragile, épanche-toi
elle donne quelque chose
elle te donne tout son petit change
elle te donne rendez-vous et
elle te donne la clef

ce n'est pas comme moi
qui depuis cent deux ans
regarde les oiseaux morts

flotter au-dessus du fleuve
de la grève asphaltée
du dépotoir d'en bas

ce n'est pas comme pour moi
qui ai passé l'âge d'être un béluga

c'est tout pour la corneille
adieu, bonne nuit, bonne chance
jumeau goéland surpris en pleine nuit
par les étoiles qui volent sans bruit
à deux mots de la grève
au secours
à deux pas

laisse tomber ta bouteille
sois délicat un peu, qu'elle ne nous brise pas
j'ai assez de verre brisé en moi, tu ne m'entends guère
mais je te donne la main
sans éclats
crois-moi

les vieilles corneilles
tuent le temps sous le soleil
apprivoisent la nuit
les insectes, les étoiles
ce qui reste de vie, tant de beautés
tant de merveilles
comme toi

bonne chance
dans le ciel d'en bas

à la revoyure des espérances
contre le ciel qui penche
petit frère béluga

bienvenue, adieu*
croa-croa**

---

* Geneviève Desrosiers.
** Gaston Miron.

Le ton descend

Toutes ces joies qui nous sont tombées des mains
ce ciel rempli d'étoiles pour toi
et moi, brusque comme un détail
sous la semelle
tes euphories martelées, célèbres
s'élevant d'un bon pas dans l'air rare
le triomphe de la séduction
triomphes répétés, de toute façon
sur une adversité, qui marche, inventée

nous voilà dans la nuit
pleine de flous, de nébuleuses
de spirales et de trous
nuit vaste au-dessus et toute avec nous
et moi qui traîne mes infirmités infâmes
pour en périr
l'air de ne pas savoir

tous ces codes qui nous ont nui
ces gestes épanouis, blessure directe
termes sauvages, logiques imbuvables
control and power, sentiments tronqués
escalier des valeurs et calculs compliqués
et des mots sifflés entre les lèvres
des mots comme générosité
quand la glace dure et compacte
givre les coupures
et maintient l'entaille aux bonnes mesures
du champ de bataille démesuré, pour rien

ton amour n'en est pas
et mes mains se tournent vers le ciel
les paumes vont devenir des lacs creux
des miroirs d'espace
          tout cet espace à quémander

voici l'endroit où le jour fuit
et les êtres plongent, sans bruit
c'est un art abstrait et ancien
un silence qui construit des mondes
larges et imprécis
et nous accueille
confondus, ahuris

enfin, je t'en prie
le ciel est plein d'histoires
autour de la tienne, en lettres de feu
ai-je jamais eu besoin de tes yeux
pour y perdre les miens
y retrouver maisons
jardins, poèmes
y voir clairement
qui j'aime ?

mais l'amour auquel on peut croire
disparaît soudain
comme un pauvre accessoire, un vilain instrument
les silhouettes se déversent dans leur ombre
instable
je ne sais quelle mémoire est abolie
quelle resplendissante stratégie se prononce
dure à suivre, impossible à vivre

une parole dure à cuire
perchée dans sa magnificence déclarée
monologue pour les élus, sourire fendu comme un sexe
à son heure de gloire

le nombril, c'est le centre de l'histoire
l'armée se mobilise, chacun au pouvoir
avoué

le jour a de la valeur, tout coûte cher
mais faut-il mériter la présence à ce point
au point de fuite, dans l'insaisissable sacralisé
les grands de ce monde identifiés
sur un piédestal exclusif, affectivement élevé
les menus soldats en déroute dans la nuit

l'inamour n'est pas pour tout le monde une solution injuste
il paraîtrait vain d'en parler
à la bonne personne, la personne intemporelle
le temps que tout s'arrête
un instant pour regarder, se frotter les paupières
voir autrement, essayer

et pour dire quoi d'insoutenable
entre les larmes et les mains froides
le temps que le temps se remette à compter ?
se tenir aux aguets sur quelle place vide, encore ?
quel territoire balisé par les honneurs guerriers ?

il y a les hommes qui t'aiment
et le reste du monde

la puissante
chasse à la vie
la force aux initiés
le reste aux pions

j'ai la bouche sèche
le cœur se serre en accéléré

l'essentiel est coincé
on nous le prend, pourtant
on nous prend pour qui?
on est un peu serrés
quand tu nous choisis
on est un peu perdants
qu'est-ce que nous faisons ici
sous le charme
pour l'amour de qui?

il y a une indécence à parler de soi
comme de quelqu'un qu'on admire
l'ego verse dans la pyrotechnie
c'est d'une brûlante beauté
d'une flamboyante actualité
ça chauffe, explose puis refroidit
et on boit, et on boit
pour faire *passer* tout ça
pour être moins intelligents, plus souples
forts et sans glace amis?

mais enfin, vois au moins où
nous en sommes, où? je t'en prie
offensantes et offusquées

quand tu enchaînes ce que tu dis
j'en ai froid aux os
quand tu proclames ton amitié
je manque de mensonges
je ne sais plus où aller
au prochain mot, tu doutes de ma réalité
et c'est non, non, ou pas le temps
ou rien, parce que je disparais
dans le vertige de la négation, nous sommes là
étrangement, un autre, mon complice
prend le relais, est écouté
dans sa voix passe mon idée
désolée, mais c'est de la folie
tout revient à zéro à zéro
tout ça me heurte
j'y perds ma vie

tout ce qui monte n'est pas que beau
tout ce qui flambe n'est pas or
parfois la parole est d'argent et le silence mord

la nuit fait des aurores boréales
et nous, on flashe comme des autorités
en mal de feu de camp
et d'une petite chanson
pour nous rassembler
colleux, chauds et fondants

je suis peut-être idéaliste
mais si on ne s'aime pas
qu'est-ce qu'on va faire, maintenant
si moins humaines qu'avant?

si j'ai le sens du pire
tu as le sens de quoi ?

la nuit englobe tellement de choses
et cha-cha-cha

discours, aspirations, calculs, ambitions
moustiques, tisons et injonctions
le culte de ton intensité
flotte au-dessus des têtes
comme un esprit qui se répète, capricieux
dégagement partiel et risques d'averses
ça ne me dit rien de bon
c'est toujours au-dessus
que ça se passe
mais les marées s'en font
et les coquillages se brisent
et le ciel ne sait plus
où inventer de la clarté
du bleu ordinaire sans paramètres
du noir nuancé de nuits blanches
où nous mêler et nous fondre
— nous effondrer ?

je sais quelle mouche m'a piquée
il me semble
qu'il y a beaucoup de conventions
dans le jardin de toi
beaucoup de règlements dans les arbres
des escaliers restent bloqués, chargés de lierres
et le refuge est très loin, au fond des bois

mon drapeau est en berne
j'ai perdu la foi

même mon chagrin
ne sonne pas juste

tu me fausses compagnie
en plein feu d'artifice
ou est-ce virtuel, tu crois?

je ploie, je me ramollis
je mords à peine, maudis, supplie

mon chien est mort
mais de rage
le tien est sourd
comme un chat sauvage bien élevé
s'affranchit dans l'anarchie

que d'activités autour d'ici
ça flambe et ça bataille
c'est urgent, vite!
ça exclut, impressionne et dynamite
pour une vie meilleure

une vie grandiose
et ainsi de suite

la nuit grandit
en pure perte

la nuit nous gobe
et tra-la-la

les fusées de détresse restent prises
dans les tourbières

la mèche
je ne sais plus où est la mèche
réellement, tu la vois, toi?

c'est un genre de chanson
le feu crépite
sur la grève d'en bas

les mouches à feu
balancent dans l'air
              divisé par nos voix
leurs plus fades éclats

les étoiles brillent
comme des menaces

le vent se précipite
par derrière en avant

ma fusée de détresse
se noie

ma voix s'éteint
tout s'allume

mon bateau brûle
et tu chantes
à perte de vue

nos joies n'existent pas

il y a les tiennes
il y a les vôtres, rois et reines
accessoirement, le reste du monde
et tout son temps

tes mains glacées font des adieux
dessinent des formes
dans la nuit scintillante

les présomptions d'innocence
très peu pour moi

les soirs de scotch m'enchantaient
je ne dis pas

mais qu'est-ce qu'on fait, bergère
du chorus final ?

les oreilles internes en choux-fleurs
la glace fondant
selon des édits stricts
                    une mouche au fond de l'œil*
autour de ce feu de camp
où tous existent

---

* France Théoret.

Combien de ciels de mensonges
combien de lunes saccagées
m'as-tu fait regarder
par le petit bout de la lorgnette
bouchée ?

Combien de planètes d'oubli
m'as-tu offertes
sans faire un geste ?

Être utile aux autres utiles
dilettantes affectifs
payés par les plus-que-parfaits
et les plus rapides sur la gâchette
en ristournes, charmes, agapes et
petits contrats lucratifs
opportunisme passif
agressif

Combien de plaisirs
t'ai-je fait rater ?
que t'ai-je donc donné ?
je sais que j'ai payé
tu sais compter, tu comptes sur tout
alors combien
ne m'as-tu pas aimée ?

Tu comprends mal
la plainte déposée
peut-être que le Chiffre t'a supplanté
peut-être que l'amour est une erreur de syntaxe
qui fout à terre le moindre paragraphe

on parle si mal qu'on ne sait jamais
de quoi au juste
on parle
et à qui

  au juste, au diable
  aux plus forts semblables
  ou à la lune qui disparaît

dans le noir des yeux
du blé sur la langue
calculez votre prochain
composez-vous un monde

mais ne m'annoncez plus
le petit prince a dit
ni la reine qui veut
la cour est pleine de bandits
le regard fixe et l'air mielleux
et j'ai fermé la porte
car les gouttes s'entassent et se fracassent
il pleut

les vitres de cette maison
sont constellées de personne
mais goutte à goutte
l'eau brouille la vue

on marche dans la boue
dans cette maison
on avance comme on peut
à tâtons vers la porte
qui se ferme

toit percé
murs troués
ce qui frappe ici
c'est la pluie
qui rythme dehors
dedans

on annonçait un temps victorieux
          à d'autres

adieu personne
mais adieu

L'usure du matériau

pour Yves Boisvert
(en réponse à la question : Quelle est votre stratégie
de résistance aux conditionnements idéologiques
et sociaux? L'Alizé, *F.I.L., mai 2003)*

J'ai laissé les autres devenir marxistes ou néolibéraux
trapézistes, aventuriers, infirmières et enseignants
j'ai cotisé à des organismes verts en leur offrant mes services
mais en ne coopérant finalement à rien
je n'ai pas fait la vaisselle hier
je ne rappelle pratiquement personne
je ne veux pas finir sur la croix, sous la bannière, ni au ciel
je crois au ciel comme dans ciel bleu
goélands et couche d'ozone
et à l'enfer comme on peut regarder et écouter
ce qui se passe partout en cet instant
pour ce qu'ils en font, je ne crois pas à la démocratie
sinon que ça veut dire qu'on ne se fait pas automatiquement
tirer dessus
je ne veux plus travailler dans un bureau de tour à bureaux
ni dans des usines à me casser en deux
ou dans les boutiques obscures où on perd la face
entre deux produits très chers, très demandés et toxiques
je prends parfois des toniques
Boisvert, Desbiens, Chamberland, Hamelin
je ne suis pas abonnée à *Marie-Claire*
House & Garden, Bricole-toi un toit
je fais de l'éloge de la paresse une démonstration pratique

sans même le planifier
je fais de mon temps de longues réflexions inutiles
un genre de méditation, de la panique à la contemplation
je regarde le sorbier dans la cour des minutes entières
sans lever le petit doigt autrement que
pour fumer une cigarette
je fume sur la galerie pour ne pas conditionner ma fille
à la mort à laquelle, moi, je résiste difficilement
les plus candides pensent que je suis le bonheur incarné
que tout me réussit
parce qu'ils ont vu ma face dans le journal
les plus méchants m'envient — sans blague —
en s'emballant dans les rouages de leur mépris
mais en général
la pression sociale fait que je me sens coupable
de complaisance ou d'apathie
on me dit régulièrement de faire quelque chose de ma vie
pourtant, tout ce que je sais faire, c'est rien, et pas plus
tout le monde s'occupe de tout faire
moi je m'occupe à rien
ça prend de tout pour faire un monde
même des inutiles comme moi
qui font dans l'abstrait et se perdent
dans les numéros des sorties d'autoroute
surtout qu'elles ne savent même pas conduire
ces personnes-là
ni rehausser leur aplatissement général
d'un peu de croustillant
pour le moral des troupes, il y a d'autres chauffards
d'autres genres de clowns
que les gens comme moi
il y a les miséreux, les arbitres vendus

la panoplie d'intercesseurs
les hyper-consommateurs au bord du burn-out irradiant
les croyants au miracle du juste, le juste encore plus
et enfin, il y a, là-haut sur la colline, les puissants
ils sourient comme des gens en plastique
en nous vidant les poches
en nous cassant les doigts
ils tuent les autres parce qu'ils sont loin
don't sleep in peace, we don't trust you
qu'est-ce qu'on peut y faire d'autre
le monde tue le monde et la planète, il la mine
la laisse retomber dans ses éclats d'obus
et dans ses rebuts poussent des goélands jaunes
et de gigantesques rats
des mouches atypiques, des virus nihilistes
qu'est-ce que je peux bien y faire, moi?

la grosse automobile fonce droit dans le mur
et nous sommes enfermés dans le coffre
personne ne conduit plus personne, à ce train-là

je suis certaine que je n'ai aucune tolérance pour l'intolérable
tout l'intolérable qu'on supporte avec le cœur qui bat vite
les oreilles qui bourdonnent

    la violence de la vie qui nous poursuit
    au fin fond de notre être
    le stress qui nous anémie et nous troue la tête

le genre de justice qu'on me propose
arrange toujours l'autre
je m'en fiche, servez-vous
la vie est courte pour tout le monde

on est quand même pas juste deux ou trois stupides
avec des nombrils surdimensionnés
les autres, les autres, par multitudes
ils nous arrivent dans les bras
comment résister dans ce cas ?

je suis certaine que je n'ai aucune tolérance pour l'intolérable
mais je reconnais, j'avoue que j'ai acheté une pochette
de rasoirs Schick Extrême 3 à trois lames, pour femmes
rasage de près, performance supérieure, jetables
je me suis fait une raison, pour les autres
je les ai achetés pour éviter de me faire dévisager les jambes
quand je vais en société — l'été arrive, vous comprenez
    si vous saviez à quels conditionnements on est vouées !
    quelles règles impériales commandent
    l'aversion ou l'amabilité !

je dois avouer que tout ça me rend malade
résiste ou résiste pas
qu'est-ce qu'on fait des autres
sinon les suivre
comme des moutons à l'abattoir, comme des gens à sec
à la station-service ou au bar
le cœur défait
déçus de comment les choses ont tourné
comment on résiste en ne résistant pas
parler n'est rien quand le vacarme est la norme
et le soliloque la façon
écrire, pas très loin d'inutile — O.K., O.K., ça dépend
j'aime mieux lire, évidemment
j'avoue que, au-dessus de mes forces
l'inutile tue, laissez-moi aller

même si j'ai peur des balles
vous voyez bien que je ne résiste pas
aux conditionnements sociaux
face à claques et drapeau blanc
deux de pique et bon enfant
poésie, conte et roman...
la seule chose que je trouve à répondre
quand on me dit d'écrire un roman
c'est : *écris-en donc un, toi !*
c'est plus impoli que résistant
mais les autorités, quelles qu'elles soient
et d'où qu'elles viennent
les autorités imbues d'elles-mêmes
je ne les supporte pas
je résiste mal aux chocs quand tout m'éclate à la figure
je résiste mal au malaise
quand les monologues s'emboutissent
et passent pour des conversations
quand plane une étrange atmosphèrc
— distances et faux mystère —
entre tous les ploucs, ça, je suis choisie pour mes oreilles
stupéfaites de tant de *je-me-moi*
qui se racontent à toute vapeur, frénétiquement
pourtant, ce n'est pas mieux si ma résistance
c'est ma solitude
ou ma mauvaise humeur
ou la compassion immobile
ou l'apitoiement
ou les larmes qui sonnent l'alarme de la condition
ensemble, tous, la condition nous touche
et si c'est touchant, prenant, beau ou pas et vivant
on résiste à quoi, on résiste à qui et comment ?

quant aux conditionnements idéologiques
j'avoue que je ne m'étais pas arrêtée à ça
mais si c'est obligatoire, j'en ai des tonnes

on me propose le monde en petits morceaux
en Windows préprogrammées pour me sauter dans la face
même que les Windows
se sont désintégrées dans ma tête et que j'ai la pensée
en fenêtres éclatées
est-ce vraiment ce qu'on attend de moi?
l'aliénation délirante, Gaston, oui, mais la marche
la marche est haute...!
c'est le monde offert, style
je ne sais pas trop comment, comme
on peut résister pour vivre pareil dans ce monde-là
je m'étonne moi-même d'être là, encore presque debout
genre
quand on me dit que je suis rebelle
j'ai l'impression que c'est parce que
je ne porte pas de bas de nylon
et que j'écris comme un homme
les gens qui me disent marginale
ils n'ont que faire de gens comme moi
ils sont agacés quand on est placés
dans leur champ de tir, les gens
ils nous parlent de nos cheveux ou de nos souliers
ils nous découpent en morceaux, on est comparés
on égale (=) moins
les gens sont rassurés comme si plus c'était mieux
parce que mieux rime avec rien
les plus costauds nous parlent des choses qu'on devrait faire
des trucs qu'on a manqués

en souriant, et tout près, les sadiques restent invariablement
étonnés qu'on soit encore là
d'une année à l'autre, vivants, dociles et effarés
les plus cool, c'en est d'autres
qui rendent la différence impraticable
tout en discourant sur la paix en théorie
un traité par personne, un drapeau par pays
il n'y a même pas la place
pour qu'on leur soit semblables, amis
pour tout dire, tout ça est petit et assez plat
c'est une aberration mathématique, un égale un
mais encore trop pareil au reste :
tout le reste
l'espèce
je ne vois rien de bien excitant au conformisme
sinon au conformisme de la survie
c'est pourtant là le drame, le sang versé, l'espace qui rapetisse
et ce qui fait de l'espèce une vorace entreprise
spécialisée en boucherie
chacun y va de son autorité féroce
comme si c'était là la condition
pourtant, ce n'est qu'un désamour qui n'avance nulle part
ça a bien l'air que je me trompe, que je vivote et me tue
mais où allons-nous ? sinon là-bas, en plein dans le mur ?

s'il manque un bouton à ma veste
et que mes poèmes sont impurs
je voudrais tout de même rappeler qu'il y a d'autres sujets
objets et compléments
que le monde s'écroule
même si les autorités, toutes, s'en balancent
ces histoires de rasoirs, de cheveux et de souliers

ne m'intéressent pas
pas plus que l'industrie de l'humour ne me convainc
que ça gaze
pas plus que les 4 X 4 ne représentent le bonheur
sur cette terre
ouais, c'est ça, oublie-la, ta fumée secondaire

ce n'est pas une mode, ce n'est pas rouge ou blanc, man
regarde dehors
le monde, la rivière au bout du champ, le ciel inquiet
les corneilles
tu le regardes, le monde ?

le monde
c'est nul, mais
qu'est-ce que je viens y faire, moi ?

Clins d'œil : Yves Boisvert, David Suzuki, Gaston Miron.

Impasse des Splendeurs

À José
(en écho à ton poème « La tendresse est un mal nécessaire »)

Je sais bien qu'il faut dire des choses importantes, sinon à quoi bon être venus mourir ici. Il faut sans relâche inventer du réconfort et le donner, mais c'est mieux de le faire dans la désinvolture de la générosité, il faut beaucoup s'oublier et oublier que l'on est en train de lutter corps à corps avec l'absurde à chaque instant, étant donné que la mort, on la déguise tellement.

Pour réfléchir de la lumière, il faut avoir perdu beaucoup d'obscurité, il faut quitter les ténèbres du bon pied et ne pas regarder en arrière, c'est trop risqué.

Il ne faut surtout pas s'interroger quant à son degré de générosité, prendre les mesures, tout calculer.

Je trouve pourtant impossible que l'on puisse être radicalement zen tout en prenant le monde dans ses bras. Il y a beaucoup d'inconfort, il me semble, à bercer un monde qui vous mord.

S'il faut plutôt régler ses affaires avec la mort, s'entendre d'égal à égal, aller jusqu'au consensus, de cette détermination non plus, je ne suis pas sûre. Mais c'est sans doute de là que vient l'apaisante possibilité, une fois la frousse passée, et plus que l'impossible possibilité, la volonté d'aimer.

La tendresse, juste le mot serait à réhabiliter, car il est devenu — ou plutôt resté — malhabile, ce mot, à travers les années. Il fait lourd alors qu'il est si léger ; on le dirait rose, ce mot de tendresse, alors qu'il est d'un violet profond. L'azur lui-même pourrait le reconnaître.

J'ai toujours pensé que le scandale était nécessaire et la tendresse aussi, énormément. L'idée de les marier pour célébrer enfin des noces heureuses, appelle tout mon enthousiasme — et je n'en ai pas de reste.

Je trouve tout de même que d'avoir une conscience délabrée à force d'être témoin de la destruction du monde, est un handicap majeur à la générosité, car la fatigue et l'effroi combinés rasent tout par eux-mêmes, pas besoin de renfort, l'horreur est constante quand bien même on ne met pas le nez dehors. Je veux dire, le monde est dans la maison aussi, il est dans le cerveau comme il peut aussi rester pris dans l'estomac ou attaquer le foie. Je veux dire, le monde est partout. Et ce n'est pas Dieu pourtant, pas du tout.

Je veux dire que seule une conscience détachée de l'immonde permet de tendre la corde, d'avancer. Je ne veux pas dire que plus la corde est raide, mieux c'est, mais ça ressemble à ça. Il ne faut pas avoir peur. On pose un pied devant l'autre et on est en train de tomber de tout son long dans une chute prévisible, on fait les deux en même temps, les deux versions se valent, c'est la même vie.

Pour ce qui est de tomber, on peut tomber par multitudes, on peut y aller tout le monde en même temps, ça, ce n'est pas un problème. Dans l'autre — et pourtant même — situation, sur un appui aussi étroit, pour laisser passer quelqu'un, il faut forcément être transparent. Dans l'adhérence instable, en mouvement sur la corde, dans un équilibre aussi précaire, il faut être un génie de la lumière, un maître de l'illusion, une planète en cristal pour se laisser traverser en sens inverse, dans tous ses sens également. Ce n'est pas courant. Ce n'est pas évident d'accepter que ce soit aussi crucial, aimer.

* * *

Grosse semaine

Les gens souhaitent inlassablement
votre overdose
que vous les preniez
que vous yeah yeah yeah
que votre capacité d'absorption
soit un lieu, une chose
hors du commun

Tant pris par l'osmose
le miroir ordinaire, plein de sang
n'est qu'une vie sous le visage
distraction non officielle

Si jamais vous aviez le sens du don
un bon coup, sans remords
ce qui ne se dit à personne

ce que l'on n'écrit plus
qu'entre les lignes
avec le recul
de plus en plus fort
cela se détacherait   de vous
et le surplus de douleur et les risibles efforts
se détacheraient encore
que le désespoir s'amuse
QUE CE SOIT JUSTE une vie avant la mort

* * *

Ils sont tous pressés alors vous dites d'accord
et vous souriez avant d'expirer
avec tous, dans la course
tout ça est impossible
vous pensez qu'il n'y a aucune vitesse, aucune hâte
vous vous dépêchez sans vous
arrivez à temps sans saisir le temps
du pas de ceux qui vont, pressés
sourires suspendus
au-dessus de la foule

le temps s'arrête, presque
estomaqué

le sourire fugace
on ne sait plus trop à qui il appartient
tout est si expéditif, au grand galop
les mots s'élancent, fractionnés
denses d'informations compactes

on y perd le rythme
il n'y a plus de temps
qu'un épuisement à force
d'aller si lentement

tant de braves gens courent si vite
en parlant

* * *

Les gens vous narguent, viens ici, vous siphonnent, tu me suis ? vous monopolisent oreilles et âme, vous envahissent en deux minutes, la troisième est fatale, un gouffre, le four total, et si quelqu'un vient à passer, ils diront nous sommes en pleine discussion, nous sommes quelque chose, langue géante, regard fuyant, oreilles bouchées. On passe de un à deux et le monde entier, rendus à trois, c'est l'univers, tassez-vous, c'est qui qui parle ?

Les gens font rentrer leurs paroles dans vos oreilles et après poussent un peu fort pour que leur histoire vous rentre sous les ongles, par les narines et par la racine de chacun de vos cheveux.

Si jamais la bouche vous en tombe, les paroles, elles finiront par entrer par là aussi, par votre bouche, elles atteindront vos cordes vocales, votre corps finira par résonner et transmettre les paroles de ces gens que vous écoutez, dans un écho bourdonnant, légèrement en différé, vous transmettrez des phrases entières, des incohérences au complet, toutes ces paroles des gens, elles suinteront de tous vos pores, à pleine peau, ces paroles, elles agitent déjà vos nerfs, assombrissent la couleur de vos yeux, en tuent la lumière.

Votre âme a fini par tomber par terre, pourtant pas la première visée. La salle est vide, les bouteilles roulent sur le plancher avec une délicatesse indéfinissable. Sans doute pour éviter de bousculer cette âme moite et froissée qui gît contre un pilier de table.

Aussi seul qu'un autre, vous rentrez, les poches vides de vos propres mots, un bruit de bouteille dans les oreilles, vidé comme la nuit. Sans âme. Il vous faudra en trouver une autre ; la vieille, difficilement récupérable, sera balayée. Comme les autres anges chiffonnés, allumettes brûlées, bouchons écrasés, papiers minables.

Les gens entreront en vous demain. Les fatigues s'accumuleront ainsi, de soirs éteints en nuits écarlates. Et vous perdrez des morceaux, et jusqu'à la mémoire de ce qui vous liait à tous ces gens qui parlaient des dieux qu'ils étaient sans interruption.

Il vous restera vos mains pour faire silence. Une petite prière enserrée là, une exhortation à ce que tout se taise, supplique accompagnée par vos yeux sombres, paupières écarquillées.

* * *

Quand c'est vous, l'arbre

Vous accrochez votre cœur, là, sur une branche, et l'arbre tombe. Vous en avez pour quelques minutes à rôder autour d'une question, et ça dure vingt ans. Vous avez une grisaille dans la cage thoracique et ça fait comme des roches dans vos yeux, ce gris en vous, il ne disparaît pas dans l'atmosphère, il pleut, c'est vous l'atmosphère, vous pleuvez. Vous attendez le jour et il vient à peine, vous réclamez la nuit alors qu'elle est là, pleine de l'immensité inutile, ce qui déborde de la solitude et n'appartient finalement à personne.

Déambulent les humiliés.
Se pavanent les douteux.

Vous êtes fermé comme un endroit public après les heures. Vous êtes privé de courant, toutes les bouteilles sont vides et vous n'avez plus où aller. Même en vous c'est public, même en vous c'est fermé.

Resplendissent les intrépides.
S'extasient les exaltés.

Il y a une araignée au plafond dans ce genre d'endroit. L'éclairage est démesuré. Les ombres gigantesques d'une araignée de rien du tout prennent tous les murs autour et en vous, ces murs pleins d'ombres rendent fou n'importe qui, vous, n'importe où les murs suivent l'araignée, le public est privé, l'endroit c'est l'envers et vous ne savez plus où regarder. Ailleurs, sans doute, s'ébattent les fourmis, et tout contre, ici, c'est un cœur mité qui bat la démesure, trou par trou.

Jubilent les mobiles.
S'envolent les inspirés.

Vous en avez du gris sur le cœur. Vous en avez des rêves au plancher. Vous en faites une de ces gueules. Les enthousiasmes font la noce et les courages portent fruit, alors quand vous arrivez inopportun et tout gris, ça refroidit l'atmosphère, souffle un air de malheur dont personne n'a envie. Dès que vous ouvrez la porte, vous êtes seul, trop seul. Même entrebâillée, la porte reste sensiblement fermée.

Verbalisent la matière les spécialistes.
Martèlent le sol les dynamiques.
Rougissent, délébiles, les vilipendés.

Vous rapetissez. Vous traînez avec vous tous ces murs, comme l'araignée. Vous avez les pieds dans les plats et on vous demande l'heure. Vous avez la tête à l'envers et on questionne votre puissance, à moins que ce ne soit votre profonde innocence, votre parfaite idiotie.

Se cachent les ravagés.
Se mouchent les ahuris.
Se pointent les malotrus.

Vous prenez vos jambes à votre cou et on vous cherche. Vous ne vous trouvez pas non plus. Il y a des limites. Il y a des murs. Vous ressentez comme une douleur de pattes écrasées, c'est la marche du cœur, le mauvais pas de l'identité, le battement inaudible d'une porte pour ainsi dire fermée. Vous êtes seul, et il y a des limites à ce que la solitude peut vouloir dire
pathétique et muette
telle un arbre tombé.

* * *

Une ombre au tableau
une couleur de trop dans le paysage
un couteau dans le dos
des tas de victimes pour chaque bourreau
l'immobilité du cachot ou le mouvement du voyage

c'est expliqué en mots, crispé en sourire
jeté aux pourceaux
c'est coincé dans le visage
bien mal payé
en petites coupures dans le cerveau

* * *

Je vous ai présenté des géants
et vous avez fait semblant qu'ils étaient petits
je vous ai dessiné de l'amour
et à part les contours, vous n'avez rien saisi
vous avez bousculé les formes
aiguisé le tranchant de vos ailes
pour fuir le trop bleu du ciel
pour faire malsain et décoller
du plomb dans la tête et le reste aux orties
des trophées dans les poings et au diable
l'autre et sa vie

à part moi, déjà, je vous ai
présenté qui ?

* * *

Brillant avenir

Le ciel en creux
une éponge toute grise qui pisse de biais
dans les yeux phénoménologiques
des gens heureux

les bras en croix
pour marquer un point
là où l'horizon se peut
obligatoire et détendu
comme une cigogne
la tête ailleurs
le spleen dans les cuisses

venons-en aux faits
ils sont tellement bleus
ça dégoutte de partout
c'est une tempête de bonheur
sur les visages décousus
toute prière tombée par terre
venons-en aux politesses
fermons la rue
et notre gueule radieuse

le silence est délectable
assassiné au préalable
les félicités prévues
vous marchent dans le dos
entre les soupirs
que de vertiges agréables
entre deux coups de marteau

le ciel en creux — il manque quelqu'un ?
baignoire d'oiseaux — les plus poissons s'en sortiront
les bras en croix pour applaudir
car personne ne criera
personne n'entendra
personne

c'est une leçon tellement apprise
qu'en faisant semblant
que oui, que non
on frappe dans le mille
mais ça cogne, justement
quelqu'un descend
quelqu'un
cobaye de cette absolutiste joie de vivre

dans un champ, la nuit, aucune gare
le néant veille, le monde descend

que de fausses pistes au brillant avenir
innombrables solitudes

* * *

Veux-tu me dire à quoi ça sert
les trésors, les boules à mites
quand t'es tout seul pour inventer tout ça
quand t'es devant le monde
à t'en glacer les sens
même dans le rire organisé
le fête est un combat
la lumière contre l'ombre
la terreur contre soi

* * *

C'est à n'y rien comprendre
la surpopulation est phénoménale
mais mon prochain, même quand il est proche
même quand il m'écrase
il est lointain

* * *

Comme des vagues
les gens reviennent vers moi
puis repartent au large
et moi, falaise ou roc
brin d'herbe, poussière de roche
je les regarde devenir toujours plus vagues
encore plus loin

et je m'effrite dans le vent chagrin
comme un caillou
quand les vagues reviennent
frapper

* * *

Ça ne se fait pas aller nulle part
et rester sur place, c'est de l'imposture
je te dis, où aller ?

il m'a offert un tour à dos de cercueil
des couteaux rouges, des oiseaux morts
elle m'a amenée au fond des mers

visiter les épaves, les algues malades
il voulait me cracher la lune dans les yeux
elle a fait entrer l'hiver dans mon sang
ils me voulaient mobile et inspirée, ces gens
me laissaient souvent nulle part
pas par ici trop près en moi

et je ne sais plus maintenant où aller
avec ma seule solitude

* * *

Tout s'explique
un colibri sur une pastèque
un orang-outan dans le vide
et ma sagesse qui disparaît

* * *

Dans le cul-de-sac de la révolte, il y a une humilité en robe de soirée qui cherche ses lunettes à quatre pattes, chantonnant faiblement une berceuse aux corneilles présentes à l'esprit.

Dans le cul-de-sac de l'identité, il y a des persifleurs souriants, une brochette de parents, des dessins d'enfants chassés par le vent, des flaques d'eau pour les souliers percés, un soleil exagéré au grand bonheur des figurants engagés pour l'occasion.

Dans le cul-de-sac, il y a un mur, devant le mur, il y a la peur qui a perdu ses gants blancs, ses mitaines, ses lunettes, la peur qui dit non, la peur qui dit vrai, la peur qui ment, excédée, exaltée en même temps, sans témoin, sans papiers, sans stratégie ni plan. Dans le cul-de-sac il y a des briques et du ciment (mariage abrasif), une fin de non-recevoir, un mur réel ou illusoire, un mur réellement, où la révolte s'est abattue, écrasée, éviscérée. Elle avait perdu son chemin. Elle s'est écrabouillée contre le mur. Elle s'était donné de la peine pour en arriver là, contre le mur du malheur, dans le cul-de-sac de la joie.

* * *

Le ridicule tue, casse la figure
va, fuis, cache-toi
dans les broussailles de l'ennui
pour lécher ta blessure
l'inonder de salive, la voir briller dans l'ombre
le ridicule te suivra jusque-là
et te tuera à coup sûr
il ne peut vivre sans toi
il doit t'entailler, te désespérer, tout te ravir
le ridicule porte aux éclats de rire
aux sourires et au-delà
la foule t'emportera
        une foule bouge, n'évolue pas
        le passant la traverse
        moins ridicule qu'invisible

prends ton mal en patience
tu t'évanouiras, seul, un café froid
dans la main gauche, à l'aube

le miroir volera en éclats
les larmes te garderont du sommeil
ta peine te sauvera, elle te laissera
    miracle anonyme
revenir à toi

* * *

C'est l'histoire de la guêpe poussée par le vent
morte à tes pieds
sur une galerie
devant les montagnes
et le temps long qui coule lentement
et le vent qui chante pour bercer la guêpe
avant de la faire décoller
sèche et muette
dans un lointain incertain
courant d'air

c'est un ciel pour les hirondelles
un vent pour elles
la guêpe a fait son temps chez les vivants

tourne autour de ta tête
le vent qui emporte
les bourdonnements

* * *

Voici des yeux pour mon visage
voici des mains pour les mots qui restent
épars
voilà l'espace où l'explosion
n'entre qu'après le choc
pour quelques cendres seulement

* * *

Deuil, désolation, pleurs
adieux pathétiques, crasch, cynisme
images de feu dans l'eau, de Narcisse
plongeant dans un monde brûlé
en pleine flaque d'un moi dissous
de toute éternité, dans l'instant
les peurs qui se prennent pour des montagnes
autour de cette flaque
qui se pense un lac
images jetées au feu
baignant dans l'eau où tout brûle
remords, mensonges, conformités
cartes truquées en atout cœur passé
l'analyse de soi comme mur
le dégoût du monde comme petitesse
le courage de vivre entre les deux
dans le cliquetis des chaînes
abandonnées, maillon par maillon
imaginaire pour imaginé
l'instant plein du vide où vivre

* * *

Dans la terreur acharnée
le désespoir sauvage, une violente fatigue
et comme neurasthénie de coupable, la pensée
les circuits encrassés, mécanisme infaillible
la haine dans tout ça pour huiler les rouages
faire tenir le cadavre du soldat
du traître, tout ce qu'on a été, ce qu'on est
sans futur simple, qu'un conditionnel
tronqué

pourtant tué personne
ni crevé les yeux des enfants
à peine

la cruauté dans chaque amalgame
la destruction au sein de chaque poussière
de cellule

voilà le porte-poussière
face au vent

et le passé
dans l'air transparent
qui touche

* * *

Dans le passage entre les peurs
j'avance, chevalière au port de mendiante
les épaules tendues, les bras mous, les mains moites
tout ça comme des ailes de papillon perdu
au royaume des morts

je flotte et le monde abattu ne me singe pas
ne me poursuit même plus
le monde abattu construit le monde abattu
où les jovialistes se faufilent
tout aussi perdus

* * *

La petite misère dans un écrin de velours moisi
la guerre dans les coins sombres de chaque pièce vide
le reproche comme feu d'artifice
la haine comme des dents pourries sous l'oreiller
vous attendez quelqu'un ?
non, je n'attends personne
je regarde
voyez-vous

les plaintes comme d'absents grincements
de poulies de cordes à linge tombées au sol
les aboiements de la tasse de thé
le vertige en principe
et la pâle vilenie, en réalité
    qui se pomponne de rouge aux joues
    pour faire l'ardeur

tout est là, voyez-vous
et il n'y a qu'une personne
pour tout dans la vie

* * *

À cheval sur la détresse, bien en selle sur la paresse
désarçonnée par la parole donnée, la phrase de trop
le poison des mots
ça finit comme une histoire
d'écuyère sans monture
qui doit se relever dans la boue
regarder le ciel
et convenir que tout se peut

* * *

Il pleut à boire debout des visages
que je ne reconnais plus
vus, à peine touchés
frôlés, dévisagés, sévères ou éperdus
des visages où je me suis connue
mot de trop, tempête de pluie
ardent sourire dans le rayonnement des yeux

mais le même mot imprononçable
visage
comme le jour mouillé qui me tue

il pleut des cordes de mirages
sans issue
le reflet même de la page est détrempé
l'image a fondu
toutes les images, des bactéries de rigoles
entaillent la terre qui n'en peut plus
de l'eau trouble, abondante
disparaît, tout se fond
la grisaille te cache
je retourne à l'ombre
fracassée, imprécise
goutte d'eau hantée
par la soif du monde

les étoiles, où les voir ?
où inventer ce que je ne sais plus ?

je contemple
dans le noir
des visages comme une pluie
des nuits entières

* * *

Des châteaux de cartes sur des mots
des barrages sur des rivières
des écluses et une pluie de pétrole
une petite vie de misère à rendre limpide
la beauté prévue
comme un accident

le silence est long comme un mois d'avril plein de neige
pesant des années multipliées par janvier
il y a la terreur
et cette vie verglaçante
n'en rien laisser, la vivre

des cartes postales sur des meubles bancals
sur toute chose, il se forme une peine
une mousse grise sur le dessus

le rêve est petit
        qu'une issue
            dans la poussière

* * *

Je regarde le temps passer
je le regarde
il ressemble à une commode
un réveille-matin, un classeur
il passe vite
comme pour ne pas être vu
mais je le vois
plus je regarde les choses
plus je vieillis et tout s'arrête
le temps, non, il ne s'arrête pas
il est ici, commode
bougeoir et signes de vie
je n'ai pas une minute de répit
je regarde nulle part
et le temps se remplit de choses

il me faut tout bien regarder
au cas où un ange passerait
lentement, tel une seconde
sans être vu

je cherche un rêve dans la pièce où je suis
mais le temps en a fait des images encadrées
que je regarde, insaisissables
malgré les flèches sur les gravures
malgré les femmes, leurs mains dans la peinture
leurs décorations de guerre, leurs pâles signatures
leurs rouges furieux, leurs bleus outre mer
    d'aventure, elles sont arrêtées avec moi
    dans le temps perdu
    et rien ne bouge, précisément
    pas un rêve n'éclate

les tableaux décrochés, je regarderai les murs blancs
la rage disparue
les secondes suspendues
des images naîtront des murs nus
    éclateront
    balles perdues, serpentins
    fumées et confettis

le temps sera passé
pour ces murs
d'être décorés
de nos guerres perdues

le temps sera pour moi un rêve
retrouvé
après avoir été prêté

un ange passera
et restera parfois
dormir dans mes bras

mais je vieillirai vite
une fois les murs tombés

de nouvelles images s'entasseront
dans l'air — futur passé

un visage, des mains, des mots
flotteront dans l'espace
        l'ange se sera envolé

le temps sera disparu en silence
        comme il était venu

mais sur la terre
le temps est compté

et je ne m'envolerais plus
    qu'une bonne fois, en poussières

* * *

Je prends mon trou
c'est un trou là où je reste
les vivants prennent le jardin
moi je me cache dans mon trou

par le trou, je vois un arbre à l'agonie
des pots de fleurs mortes
envahies par les mauvaises herbes
des feuilles desséchées et des papiers gras
à deux pas, il y a des dalles sur l'herbe
comme un cimetière muré de chiendent
de l'herbe à poux plein les failles
des tas de fourmis affolées
qui cherchent quelle verdure non empoisonnée
dévorer

parfois, à l'aube
je me rends à l'arbre mort
trébuche contre les dalles
puis je regagne mon trou
                quand je ne grignote pas les murs
                par l'ouverture que j'ai creusée
je fixe le décor
du banquet des vivants

* * *

Quatre marguerites soutiennent
ma maison invisible
                plancher d'air
                et toit de ciel
                fol avoine aux fenêtres

quatre secondes
                autour
du vent

* * *

Vous pouvez me secouer
je tiens bien sur le socle
dans le plastique moulé
        j'ai toute l'éternité pour regarder
        les flocons tomber
vous pouvez secouer cette bulle
        ce ne seront toujours
        que les mêmes flocons
        qui flotteront
        entre chaque solitude

Sur la grève

Les yeux de mon amour

C’est un amour cet homme
cet homme est un amour
une odyssée, un murmure vertical
qui s’élève des flots

et je me jette dans les bras de la mer
je me jette à l’eau
en même temps que dans les yeux du capitaine
               c’est l’ardeur qui nous mène en haut

le ciel nous transporte
au-delà des mers
vents chauds, tempêtes folles
accalmies du levant dans une vague

pas de doute, il ne sait pas
que les nœuds, je les vois
dans tous ces filets lancés à la mer

« attention ! pas de doute ! »

répond l'écho de la loi
dans un ressac, des abîmes
dans la voix

un goéland passe
le cri de la terre, son rire déchirant
son ricanement dans la fureur du vent
qui n'en souffre pas ?

mon amour, cet homme
repousse l'homme dans le doute
et je cherche refuge dans le concret
très exact

dans les yeux de mon amour
la méfiance, goutte à goutte

après la chaleur, le vent fou
et la pluie, et la pluie
le vent s'emporte
le gouvernail tourne et se retourne
furie déchaînée de tourbillons
océan mer* de planète dévastée
ciel en haillons
terre dans la boue

le capitaine dit « pas de doute, attention »
et la mer me reçoit
voilier paré comme une flamme

---

* Alessandro Baricco.

le jour éclate entre deux vagues
capitaine
est-ce ton amour qui s'en va ?

tourbillon aveugle
dans la vague creuse
tout se brise
en éclats

qui a peur d'être si seul
pour être tout ce qu'il n'est pas ?
ce qu'il est de tourmente
        tourbillon, plongeon aveugle
        dans le sombre espace
        entre les rochers
ce qu'il est de tourmente affolée
revient le hanter

« attention, pas de doute »
hurle l'oiseau dans la brume sur la mer
comme un chien à la lune
un chacal dans le désert

déjà, pourtant, les dunes luminescentes des yeux
éclairaient la grève
et au-dessus, les oiseaux se riaient du malheur
courbaient leurs ailes sous le vent chaud
        au loin, maintenant
        ces yeux de sable
        où je marchais

farfelues, ces falaises
la terre y est si humide
plus mouillée que l'air
et l'espace creux est froid
devant moi

ouvertes dans la peur
des fenêtres affleurent
dans la brunante
sombre

des maisons sont plantées là
le long de la route, passé les joncs

s'ouvre une porte dans la nuit immense
s'agitent les étoiles
leur solitude brillante

mais comme si un bateau avançait
MAIS comme un mât de bateau
la misère craint la vie
gonfle la voile
            c'est parti

le corsaire connaît les tempêtes
sait y faire contre le vent
il sourit comme un capitaine
et pourtant

ciel rouge entre les mains du rêve
vert et gris et jamais bleu
dans la cale est blotti ce qu'on invente

ce qu'on fuit
ce qu'on espère qui nous tourmente

tempus fugit, les secondes s'envolent au-dessus des flèches
de cathédrales tantôt démolies, le gris des gratte-ciel
fomente des nuages odieux, sur la terre
les cloches sonnent, six heures, le vent tombe
fébrile, léger, le goéland ricane
        qu'il vole, et le vent
        qu'il le laisse s'emporter

les yeux de mon amour, cavernes de lumière
lacs en feu
vitres d'une maison en flammes
transparence foncée
        lumière d'opacité
à chaque pulsation
l'espace se rétracte, petit, ou s'étire, trop vaste
        nous sommes en vie
        de quoi douter?

le capitaine reviendra
ne reviendra pas
debout sur sa peine
poussé par le vent
        tout cet air à respirer
        jusqu'au fond des vagues
        dans les trous d'ombres agitées

        le moindre souffle et le voilà rescapé
        l'eau à la bouche
        les yeux pleins d'eau

mais ses yeux, îles éloignées dans l'océan, maintenant
des îles sauvages sans port apparent
sans bateau accosté
il semble qu'on ait brûlé le port
après avoir brûlé le bateau

   à moins que dans le sable fin
   sur la côte, dans les dunes
   restent des coquillages
   qui puissent raconter
   ce désir de naufrage
   une histoire insensée

c'est de l'amour que je donne
un genre de ciel
auquel on ne croit plus

c'est de l'amour, capitaine
en doutes-tu ?

c'est de l'air, mon amour
juste un souffle
en veux-tu ?

le ressac
couvre ma voix

je me jette à l'eau

un murmure s'élève des flots

regarde
moi aussi, cœur gros
je flotte

* * *

Tu sens la forêt froide derrière les oreilles
de fluides corneilles flottent
dans l'air qui ébouriffe tes cheveux

les étoiles sombres dans tes yeux
elles filent dans la nuit
m'appellent comme du feu

à l'aurore je nous retrouve
dans les mains fortes
de la douceur

après tout sombre
dans le jour

le soir revenu
viens
pour un autre feu

* * *

À l'heure des corneilles
avant l'aube ou le soir venu
des traces de vagues
dans le bruit des camions
des surgeons de tremble
collés à la chemise

un poète qui te parle
et des merles égarés
le lieu est pour l'instant déserté
par les poids lourds saisonniers

un corbillard à Chambord
nous abandonne au carrefour
de justesse, on prend le chemin
du village fantôme

à gauche, les revenants
à droite, un soupçon naturel d'immensité
faux-trembles et bons vivants
des deux côtés du saccage

et dans notre dos, un fait réel
    mais où est-il passé?

le corbillard en réalité, on se retourne et
tout ce qu'on voit
ressemble à une camionnette blanche
conduite par une madame
aux cheveux teints
    dans la lune

je ne sais diable où il est allé
mais une chance que le corbillard
ne nous a pas dépassés
    gloire à la femme
    suroxydée

on pourra se souvenir
de la route de la Pointe
de notre corde à linge
de peuplier à sapin

la corneille qui surveillait nos provisions
le tamia rayé qui réglait ses comptes
dans la sympathie bienveillante
donnant donnant

on est encore vivants
on est encore invités à souper

populaire ou plaisant
tu connais le coin
comme si des spectres gigantesques
précédaient tes pas
enchantés, protégés, bienvenus

mais au risque de passer pour des étranges
laisse-moi seule une grosse heure

reviens donner des bananes au tamia rayé
tout à l'heure
puis on ira où tu voudras

plus seuls
on est ensemble, vivants
mais seuls, doucement
la vue est dense
moins arrêtée

laisse-moi seule et prends-moi
les deux à la fois
c'est simple, laisse-moi du temps
à moi

        le corbillard ne nous a pas dépassés
        cette fois-ci, mais qu'est-ce qui nous dit
        que nous sommes platement immortels ?

tu peux me laisser vivre
tu peux aussi donner du sens à la vie
ne me fais pas mourir

        je sais bien que tu le peux

et cesse de me décrire tes attirails
et tes gréements
des heures

reviens à toi, reviens ici
seigneur

entre les désespoirs
dans le temps libre
de nos gestes
on vit entre deux corneilles

et c'est
bref, chéri

* * *

Ça fait Edgar Allan Poe
ton affaire

je rêve d'un lac
as-tu chaud?

ton marais me prend tout mon temps
tandis que je perds du sang
c'est triste, ici, à dire vrai
morbide, moribond, macabre
mortifère, mortifiant, mortuaire

tu as eu tous les arbres morts
que tu voulais, ces espèces de troncs crevés
pendus en noir dans le marais
les as-tu seulement regardés?

on s'en va d'ici
j'ai des frappe-à-bord plein le visage
les maringouins m'ont mordue
j'ai de la citronnelle sur les joues
plein les vêtements, la capuche, les mains
plein la peau et le cerveau, et c'est tout ce qui se passe
ce que j'arrive à faire, me battre contre l'inéluctable
en contemplant des arbres funèbres
pourrir sous un vent d'orage
mais il ne pleut même pas

j'ai la raison de la beauté et l'argument de l'eau
allons-nous-en
avant de rencontrer d'autres êtres étranges
qui nous feront la peau

quittons ce décor déchiqueté et purulent
ponctué de toutes ces queues de castors qui
par désespoir, toute la sainte nuit
frappent leurs maisons à mort

sérieusement
as-tu bien dormi, toi ?

partons d'ici, mon brave
je t'offre un lac
à tout le moins un lit dans une tourmente
plus jolie

désarmée, j'attends

je t'écoute

qu'est-ce que tu dis ?

* * *

Le ciel n'est pas éternel
et nous sommes petits
les arbres malades comme semblables
mon ami

transparents comme les montagnes
entre smog et brume
nous sommes partis
pour un peu d'infini organisé
parmi ce qui reste, les restants naturels
de la nature, viens, allons-y
montagnes éblouies

* * *

Tu parles tout seul
je parle toute seule
dans la nuit

un de tes pieds traîne
ton soulier est brisé
fait un bruit d'éponge coincée

rue de la Grève
nous avançons nowhere
dans l'obscurité

pas un maudit lampadaire
pas le moindre chat
ni grenouille ni âme qui vive

si jamais le fleuve est par là
nous n'irons pas
la peur m'assaille
            on n'y voit pas à deux pas

tu vois bien dans le noir?
pas moi
je ne vois rien

je ne sais plus trop, remarque
si j'ai peur tant que ça
j'ai peur de quoi

peut-être est-ce que je fais
davantage confiance
aux mouches et aux trottoirs
qu'aux chiens errants
et maisons démolies
reconstruites dans la nuit

de spongieux terrains vagues
nous environnent
on n'y voit rien

on dirait qu'un chien rôde
c'est le genre d'endroit pour être enchaîné
et aboyer comme un loup
    il fait noir
    comme dans la tête
    des fous

rue de la Grève
j'ai le vertige
tu es loin de moi
occupé par une fatigue
qui n'en finit pas
la tendresse, qui pourrait saisir
qu'elle n'existe plus ?
plus que le vertige
c'est la solitude à quatre pattes
qui meurt dans le noir
plus triste que toi et moi

dans les ténèbres, je le comprends
c'est comme si c'était ici

dans ce fond de village marécageux
qu'on avait abouti tout le temps
prenant nos distances
dans l'obscurité
depuis toujours
tous les deux

spectres amateurs
du vague à l'âme

fantômes occasionnels
des jours infinitifs

feux follets
éteints avec le temps
dévorés par ma bouche
abandonnés sous tes fureurs

abattu, l'amoureux dévoré
à même une résistance trouée
par les mots

abandonnée, l'impatiente
ni même une femme
pas même une sœur

deux boulets de plus à la lourdeur
deux lueurs sans peau dans la noirceur
dégénérés passants
revenant sur nos pas
tourtereaux négligents
peureux oiseaux de malheur

feu éteint
marée basse coincée dans les battures
pas un son
ni mots, ni animaux, ni autres vivants
qu'un reste de vent mouillé
le calme des maisons
nos voix de sourds
lourdes à porter

au village
les spots nous glacent autant

personne, pas un ange
s'il y a des gens, ils sont plus ordinaires
et fantomatiques qu'avant

tu parles sans entendre
je parle toute seule en m'écoutant
        on ne se verra plus avant longtemps

j'en mettrais ma main à couper
on n'entend plus rien

je t'ai tant de fois répété
que tu ne m'écoutais pas
tu en es resté sidéré
plongé dans la nuit
une autre nuit que moi
plus seul
que tu ne l'avais jamais imaginé

cela ne s'approche pas
de cette légèreté, quand survient une libération
le *encore plus seuls* du dégagement
dont je t'ai parlé, être enfin seul, tu sais
désaliéné de ses tourments
dégagé de soi, bienveillant
ardent comme tu l'es par moments

à pas longs et rapides dans l'obscurité
cinq pas devant moi
tu ne te retournes même plus
pour m'écouter
comme toujours disparaissant
cinq pas devant, tête vaincue et cœur absent
ti-cul buté, homme innocent

je traîne dans la rue principale
sur la route nationale
on fait la queue leu leu
éblouis que les phares nous reconnaissent
phénomènes à deux pattes, bras ballants
épouvantails de chair
sous tension

si on n'a pas vu le fleuve
rue de la Grève
on a marché dans son lit
on est passés comme des revenants
mal assortis à la nuit profonde
        parsemée de porcs-épics écrasés
        et de pâles étoiles
        pétards mouillés

nous retournons sur nos pas, sans voix
laissant des traces de bêtes traquées
dans le brouillard au bord du monde

on est tombés dans un lit
un jour de grand froid
plutôt les souris que les cigales
crissaient contre les murs
mais tu chantais aussi
l'amour nous faisait la peau
éblouie

rendus ici, on se couche malveillants
aigris, corps parallèles
à la marée basse
en bas des falaises qu'on ne voit pas
qui existent par ici, n'est-ce pas?

elle ne dit mot, la marée
rien, pas de mouvement où aller
retourner, comment?

c'est mon œuvre, tout ce dégât?

j'espère t'avoir cassé la tête
pour l'amour

je souhaite qu'on soit moins petits
que mes larmes à l'aube
défigurant le matin vaillant

espérons que nos cœurs
se remettront à battre
quand je ne serai plus là
soldate ennemie
pour l'amour
blasphémant contre la nuit sans vie
parce que l'amour n'a pas d'histoire
ou n'en veut pas

mais il reste que tu m'aurais prise dans tes bras
que nous aurions rencontré quelqu'un
cette nuit-là

* * *

Je t'aime
comme si tu allais t'en souvenir
me prêter main-forte avec ton désir
c'est toujours comme si
tu allais revenir
appeler, arriver
aimer et dormir

c'est une ivresse impensable
l'attente m'éreinte et m'éblouit

tout le silence de mon existence
se fait pesant
mais s'envolent, oiseaux rares
et papillons savants, mes sentiments

j'espère que le mot lundi
est écrit dans ton cœur
j'espère que, cette nuit-là
nous partirons, volerons ensemble
feux aériens, histoire de nous allumer
avant la mort
étinceler, flamber
    nos corps
    pour bonheur

* * *

Tu tombes dans le vide à chaque pas
dans la fatigue, exalté, entre ses bras
échoué là pour des siècles, des mois

ce n'est plus que toi
ou ce n'est plus toi
je ne sais plus, plus ça va
plus on dirait que je n'y suis pas

hier, j'ai entendu nos corps
et ta voix qui enflammait le même
bon vieux poème
une splendeur que ce je t'aime
pourtant, depuis un bout, tout est mort

il n'y a jamais rien à comprendre
que du vide et du vertige
nos fatigues sont éloignées
comme chienne et faucon

on dirait que c'est facile
il n'y a qu'à glisser
dans l'abstention, la défection
dans l'euphorie de l'abstraction
balle perdue en plein champ
glissement de roues sur l'accotement
frontière en tessons de bouteilles et ciment
d'un jour à l'autre, tout fout le camp
et il n'y a rien à comprendre
que ta fatigue comme un mauvais roman
ruptures de tons, absence de liens
de dénouement

l'horizon est noir
nos yeux sont foutus

tous les soirs te font boire
et je n'y suis plus

les vagues applaudissent
        en bas des falaises
                s'est brisée
        la bouteille à la mer

                rien
                dedans

* * *

Mon chagrin est un figurant
dans le fond
tu le vois à peine ou
que cru et remâché
    même nu et voilé
    il n'est pas émouvant
    il n'attire pas l'attention
    rien

quand tu daignes regarder vers les coulisses
je ne sais plus ce qui te fait sourire
l'alcool, la cruauté
ou l'exaltant plaisir d'être anéanti par les deux

innocente, je me brise
en chimères brouillonnes
le cœur en loques, l'orgueil grand ouvert
je revois un à un
mes doutes lancés comme des facéties
il y a quelqu'un — je sais qui —
c'est la vie, comme tu dis

peu importe qui tu caresses et embrasses
que tu te détaches
c'est la même douleur
l'écorchée déchirante
l'arrachée à moi

j'espère que la nouvelle admire ton cinéma
mieux que moi
que le temps est doux et la vue, plus claire
parce qu'ici, cette chienne de pluie
n'en finit pas

des livres, des films, des personnes
parlaient de la mythique lâcheté des hommes
déjà, j'en avais vu plein
et j'avais chialé là-dessus
j'en avais eu ma peine, abasourdie
mais je ne savais pas
jamais encore, pas à ce point
point-virgule qui se charrie sans finale
sans que rien ne soit dit

seulement des charges visuelles
un sourire idiot qui s'étire
jusqu'à l'affaissement
et s'il y a des mots
qu'ils soient extrêmement banals
pour paraître innocents

mon chagrin de bronches sales
de pied droit blessé
me tombe dessus, corpulent
mais étrangement
léger

il reste avec moi, amical
sans sourire ni fuir
sans m'abandonner

dans les coulisses
contre la sortie de secours
on se parle sans rêver

c'est le compagnon idéal
de qui est oublié
dans le fond

quand tout sera fini
on se quittera respectueusement
dans le noir illuminé

éblouie, je quitterai la salle
sans savoir où avancer

et le monde animé s'avancera vers moi
comme toujours, agité
sans pitié

c'est là où moi je sourirai
étrangement

* * *

Je pleure le gros gentil loup
le tamia rayé
le silence de Saint-Fulgence
Blanche d'Haberville
et même le lac Aylmer, je le pleure
sans boire de vin

Mashteuiatsh, Léo, le lac
les tranches de pain de Stukely-Sud
et les bisous, et ta douceur

ta danse dans ma cuisine, ton bon cœur
le trio du tonnerre, les jours à deux, nos équipées
tes vieux draps, le parc, ta cape de laine, ta peau
ton chant nocturne, les souffles chauds
je pleure
le chaînon manquant
les soupers d'amour, les histoires inventées
le désir qui planait dans tes mots
mais le malheur aussi, je le pleure

il m'apparaît abstrait
moins persistant
que la vie

Il y a quelqu'un ?

Je te propose un contact extrême
les autres en ont besoin
l'humanisme est mort
la mondialisation de la merde
fuis-la
dilapidons notre extase
avec les autres
il fait trop chaud
en dehors des normales, tout s'inonde
hors de toi, c'est le déluge
tout brûle quand il ne pleut pas
et soudain il fait froid

allons vers la foule
qui nous dévisage
cassons les dents
au désastre
tendons la main au temps

prends-moi dans ton silence
reste à chauffer le paysage
en moi
ô joie

aimer est un choc violent
t'es-tu vu l'air?
mystique passionnant
sur la galère
tu ressembles à l'enfant que tu étais
        à bien te regarder
        tu es né dans une rivière
yeux de loup, mon frère

avons-nous assez d'amour
pour en inventer
en dilapider par-delà les frontières?
en avons-nous assez
nous, innocents semblables
de nos sœurs fortes, de nos frères secrets
de nos mères oubliées?

parmi tous ces visages
embrasse le ciel avec moi
ta main dans mon dos
le pas autrement

de toute manière
console-toi
âme frère
nous sommes là

Je te propose
un contact
extrême

les autres
en ont besoin

On pourrait déménager des contrebasses et des pianos
écouter des gens rêver tout haut
on pourrait s'envoyer des cartes postales
on pourrait faire fondre la glace autour de nos bottes
et frémir comme des arbres
on pourrait regarder filer l'inaccessible étoile ensemble
on pourrait regarder le monde s'écrouler
se rattraper aux branches
voir s'élever ce qui vole
et avec tous, se confondre
racines et traces
s'effacer pour laisser passer
le temps perdu

on pourrait monter une montagne
à pied
ne rien vaincre du tout
cueillir des roches, épouser la lumière
on regarderait les balbuzards
s'élever dans le ciel blanc
rêvant dans leurs plumes
on ferait silence
dans le vent là-haut

tu travaillerais contre la misère, je lui écrirais
tu jouerais pour l'univers, je sortirais dans la rue
tu grimperais la santé avec ta vie
j'apprivoiserais des araignées pour en faire des poèmes
ou j'irais prendre des photos   et un café
avec les femmes qui aiment la lumière le jour

tu me laisserais parler et faire la folle
je te laisserais aller
je laisserais la porte ouverte
et du gâteau dans l'assiette

je te laisserais pousser les ailes
pchchchchch…
tu me décrirais le ciel
tu par-le-rais !

quand le silence le voudrait
il serait un lieu où on pourrait s'endormir
malgré le bruit de la déchirure
suspendue
au milieu de la nuit…

* * *

Ce serait juste une ville verte qui ressemblerait à la mer
à cause du bruit dans le feuillage et des étoiles vivantes
flottant dans la rue

une forêt serait nichée dans la vie des passants

une fois l'horloge détraquée, on aurait logé le cimetière dans
le désert de nos plus petits yeux

on vivrait à la chandelle et les festins rassembleraient les
hiboux des ruelles, les grenouilles à corde et les canards à
vent

on mettrait une belle nappe dehors, des fleurs, on ferait de la place aux voisins

la vaisselle serait lavée par la pluie d'un siècle moins sale sans qu'on ait discuté de l'affaire ni du comment

on s'embrasserait derrière les oreilles, le vent nous chatouillerait les ouïes

le silence mangerait à sa faim et les arbres grandiraient aussi

ce serait juste la mer pour faire de l'air dans la ville, on serait les poissons, on laisserait les requins au fond et les bélugas, on inventerait leur histoire avec de l'eau claire

la lumière prendrait tous les verts, le ciel bleu tiendrait le coup, on aurait moins de misère à frémir, ce serait juste, ce serait tout

* * *

L'ardeur insouciante des froids de mars

Promenons-nous le cœur sous la main
à la portée du ciel vibrant dans la flaque aux cailloux
allons au bois cueillir des rires
dans le bruissant accord des arbres
jeter des gestes éclairés sur le sentier
les yeux étincelants, sauvages, impayables
le soleil affectif brûlant l'hiver enraciné

le visage étonné, mobile, les nerfs oubliés
le verbe aimer en bandoulière
l'ardeur de vivre au collet
les larmes offertes au soleil comme autant de coccinelles
se faufilent dans l'air généreux
pour tout saluer
resplendissons
sans y penser
l'ombre de l'humanité sur les talons d'Achille
la tête détendue, ramenée des ténèbres
la beauté du monde en dehors de nous
la vie énorme, partout
allégée par les chagrins qui sont tombés
peines perdues sur le sol humide
épivardons nos envies de caresses en vivant
comme bruines dans l'ouragan
portés par la joie
un instant
la joie des autres pour tout amour
la joie, mon amour

* * *

Bouquet de cendres entre nos doigts desséchés
pollen de cendres dans l'air inspiré
rien qui ne soit à nous
et pourtant, qu'est-ce qu'on vit

* * *

Marche

(sur l'erre d'aller de *Nous* de Geneviève Desrosiers ; *Nombreux seront nos ennemis,* L'Oie de Cravan, 1999)

On versera dans l'anachronisme, et s'il le faut dans le romantisme, même s'il n'est rien de vrai, il sera là et on le décapitera, si le réel s'en mêle, on ira au vrai, au moins pressé plus vite que le vent, on parlera en dormant pour apaiser la pensée, défaire le corps fatigué de tous ses alphabets ;

on fera le coup de l'horloge détraquée à chaque empereur de chaque seconde, on mettra des fleurs dans le sablier, on arrosera ça avec du sang chaud et des larmes enfin muettes, s'il en reste dans cette époque de parapluies crevant le ciel ;

on n'étouffera pas la question, elle passera comme un mal d'estomac, on ne fera pas le décompte liquide et l'analyse du trajet, on rira en premier comme dans le milieu, les oreillers tiendront les mains ouvertes, supporteront nos têtes désaccordées, l'unité fera la douceur, l'incommensurable s'occupera du reste ;

on ne changera plus les lacets de nos souliers, plutôt pieds nus, sans attache, on ne retournera nulle part, on n'arrivera qu'à s'en balancer ;

on laissera aux volontaristes la volonté, on avancera dans le noir déterminés, et s'il fait très clair, on aimera la lumière pour aimer ;

on n'attrapera plus de poisson, on ira flotter ailleurs, entre l'arbre et le sol, entre la sève et l'écorce, entrés partout comme des sauvages, juste assez décivilisés pour avoir le courage de vivre, cosmos.

* * *

Aussi seuls que janvier
aussi mars que novembre
nous irons en juin par octobre
et nous prendrons le mai en septembre
et la pluie nous le rendra, et le lilas et le verglas
et le petit salut discret de décembre
il fera signe plus tard, il deviendra un geste
aimant
en plein juillet
nous aurons de vrais aoûts et de fascinants févriers
nous nous ferons une joie de nous surprendre
d'avril à maintenant
après tous ces janviers de merde
et ces étés aux ciels trop bas pour la vie

* * *

Nous nous embrasserons
à bouche que veux-tu
devant les fantassins totalitaires
veux-tu ?

nous nous marierons dos à l'armée
les bons vœux hurlés par le vent

ne nous étant pas tous destinés
nous les laisserons passer
nous y joindrons nos voix
tourtereaux confiants
    tu nous entends?

et même sous la pluie
l'amour nous énervera
comme des petits fous
débonnaires éléments du tout

nous serons passablement occupés
à vivre beaucoup, le plus souvent debout
tournant avec tous
dans la tempête
        éperdus
        parfois tristes, vifs et heureux
si tu veux, viens-tu?

* * *

On reprend tout depuis le début
tragique ou pas
c'est comme ça
        on ne peut pas finir écrasés
        à ce point-là
aplatis comme des livres
à la sauvette
        on griffonnera jusqu'à ce que
        ça ne déborde plus

mais dans la ronde
on ira au plus petit bonheur
avec des karmas d'oiseaux de malheur
on poursuivra
chance ou pas
    on ne peut pas tout manquer
    ma foi
en fait, aplatis ou pas
on continue

    que ton bonheur
    me garde

    ne serait-ce que dans le fond
    des ténèbres

    là où la lumière commence
    pour moi

* * *

Laissez tomber les murs sur vous
ça finira par passer
le poids de la poussière s'envolera
un de ces beaux jours
le jardin sera plus vert que vous
vos yeux l'arpenteront
autant que le sable des rues
dans la lumière ordinaire
à la vitesse des tortues
vous ferez le premier pas

vous sortirez du monde de la poussière
pour rencontrer autre chose dans l'univers
autre chose que vous

on ne sait jamais
la lumière ira n'importe où
quand on la laissera faire

ce qui mène à rien
est intensif
dans l'immobilité, la vitesse
dans le cosmos
le corps   aimant

avoir au moins l'humilité
de se supporter soi-même
avant d'embarquer à fond
dans le parcours des ruines
sur la terre des ombres

* * *

Fragiles, à la surface de la terre
on se calme
dans un brin de lumière
on danse de toute manière
on pleure de toute façon
on aboutit entre deux portes
            entre les arbres, entre les peines
dans un courant d'air
qui nous emporte

* * *

C'est pas bientôt fini ?

Il paraît que c'est la fin du monde
ça se voit à peine pourtant
mais il paraît
alors on peut se forcer
pour mourir en groupe
au lieu de crever seuls
allons-y à plusieurs
sept milliards
        avec nous
            des trillions d'animaux
            des millions de trillions de végétaux
            des milliards de mégatonnes
            de déchets radioactifs et humains
            et les milliers de dauphins
on amène tout

Mais non, répond la grenouille
mais non, dit le grillon
allez-y si vous voulez
nous autres, on reste

Le ciel bleu sur nous peut s'écrouler *

La lumière du ciel comme un drapeau
flottant au-dessus des têtes de missiles et des têtes ordinaires
bouche ouverte, les yeux fermés, comme il est bon d'avoir
le corps rempli de ciel
le cœur, occupé par la lumière du désastre
jour et nuit

nous ne sommes pas seuls dans l'univers
il y a de charmantes souris partout dans les murs
elles ne vous mangeront pas
il y a des milliards de fourmis qui entrent ici
à pleine porte, mais elles n'ont pas d'autre choix
que de vous envahir
c'est dans la nature des fourmis d'envahir
de chercher à se nourrir
tout détruire, dans ce cas, c'est accessoire
comme vous et moi
qui courons, technos, modifiés, non recyclables
tout droit et à droite, toute, aux rebuts
dans la cour des miracles que cette planète est devenue
par la force des choses, chers accessoires
maintenant, c'est un jour de plus

---

* Édith Piaf.

nous ne sommes pas seuls
il y a ces fauves qui grappillent dans le jardin
et la cour est pleine de scorpions venimeux
la cour est vraiment pleine de monstres visqueux
qui brassent de sombres affaires
et mijotent des conquêtes de carnivores à cent têtes
dans les coins ombragés de l'herbe jaune
où la vie brusquement s'évanouit

qu'à cela ne tienne, pour l'instant
on se glisse dans la lumière du ciel comme dans un vêtement
sous le paratonnerre d'un jour de plus, gris et bleu
le sang coule à l'intérieur
dans le moment, silencieux

les monstres sont libres de gruger
les prisons carrées de tous les continents
et le sol même, et les bestioles
les blessures de bestioles font peu de bruit dans le chahut
même le vent rugit
enfle et hurle, tue le temps à plein volume
les oiseaux aussi sont nerveux

de quelle couleur est le ciel
si l'horizon est rouge ?
quelle couleur a cette seconde
la lumière dans le ciel d'Irak ?

flotte dans l'air un désastre
dont personne ne veut
la lumière du ciel comme un drapeau
un drapeau blanc
rayé rouge
étoilé blanc sur bleu

ce n'est pas une rivière, ce n'est plus un glacier
c'est le ciel d'Irak
et le fleuve empoisonné
ce n'est pas une ville verte
c'est un chablis
de déracinés

des drapeaux blancs à perte de vue

il y a quelqu'un ?

Premières versions

« Un chablis… » (p. 49) sous le titre « Lou 2001 », « Schéhérazade et Marilyn » (p. 79), « Grosse semaine » (p. 225), « C'est pas bientôt fini ? » (p. 291), dans *Jet d'encre,* n° 3 (Université de Sherbrooke), printemps 2003.

« Tu parlais d'une nébuleuse… » (p. 45) sous le titre « Lou », dans *Stop,* n° 131 (*Invitation*), été 1993.

« Qui veut mettre la table ? » (p. 53), dans *Relations,* n° 687 *(Malaise dans l'éducation),* septembre 2003 ; de courts poèmes du chapitre « Autoroute du système » sont parus dans *Relations,* n° 688 (*L'Empire vu du revers du monde,* novembre 2003).

« L'hameçon » (p. 69), sur le CD de Sylvie Chenard (et collaborateurs), *Manifeste pour contrer la violence faite aux femmes,* Projets de la Baleine, 2000.

« Le juste milieu » (p. 60), *Mœbius,* n° 83 *(Violences),* automne 1999.

« L'évidence glace » (p. 128), « Quand c'est vous, l'arbre » (p. 229), « Dans le cul-de-sac de la révolte… » (p. 235) sous le titre *Impasse des Myopes,* « Brillant avenir » (p. 231), « L'ardeur insouciante des froids de mars » (p. 284), « Marche » (p. 286), dans *Exit,* n° 21, automne 2000.

« À José… » (p. 223), « Quarante points de suture » (p. 115), dans *Estuaire,* n° 109 *(Délires extrêmes),* mai 2002.

« Je t'avais offert un poème à boire » (p. 147) sous le titre « Péril de l'ivresse », exposition de textes sur l'alcool (une idée de Guy Marchamps), Bar Le Zénob, Trois-Rivières, 2000.

MISE EN PAGES ET TYPOGRAPHIE :
LES ÉDITIONS DU BORÉAL

ACHEVÉ D'IMPRIMER EN FÉVRIER 2004
SUR LES PRESSES DE L'IMPRIMERIE AGMV MARQUIS
À CAP-SAINT-IGNACE (QUÉBEC).